#하루에_조금씩
#쑥쑥_크는
#어휘력 #사고력

똑똑한
하루 어휘

Chunjae
Makes
Chunjae

▼

[똑똑한 하루 어휘 맞춤법+받아쓰기] 1단계 B

편집개발   김동렬, 엄은경
디자인총괄   김희정
표지디자인   윤순미, 안채리
내지디자인   박희춘, 이혜미
일러스트   김나나, 김수정, 김민주
제작   황성진, 조규영

발행일   2021년 12월 15일 초판   2023년 1월 15일 2쇄
발행인   (주)천재교육
주소   서울시 금천구 가산로9길 54
신고번호   제2001-000018호
고객센터   1577-0902

똑똑한
하루 어휘

맞춤법+받아쓰기

어떤 책인가요?

한글 기초 능력

한글 기초 능력을 키우는 교재
- 바르게 읽고 쓰는 능력 향상
- 소리와 글자의 관계를 이해하는 교재

맞춤법

원리를 이해하고 응용하는 교재
- 맞춤법 원리를 자연스럽게 이해
- 맞춤법 실력을 향상시키는 교재

어휘력

탄탄한 어휘 실력을 다지는 교재
- 바르고 정확한 어휘를 배우는 교재
- 뜻을 이해하고 문장에서 활용을 익히는 교재

똑똑한 하루 어휘
- 맞춤법 + 받아쓰기 -

1단계 B
스케줄표

1주

5 일 76~79쪽 ☐	4 일 70~75쪽 ☐	3 일 64~69쪽 ☐	2 일 58~63쪽 ☐
2주 평가	**ㅊ, ㅌ, ㅍ 받침 뒤 된소리**	**ㅂ 받침 뒤 된소리**	**ㄷ 받침 뒤 된소리**
• 받아쓰기 • QR 받아쓰기	꽃밭, 꽃게 같다, 덮다 꽃반지, 꽃삽 숲속, 앞바퀴	밥그릇, 접시 입다, 잡다 술래잡기, 입가 겁쟁이, 곱슬머리	닫다, 돋보기 숟가락, 받다 굳다, 뜯다 본받다, 묻다

2주 마무리 80~87쪽 ☐			
• 누구나 100점 TEST • 2주 특강			

틀린 문제는 다시 한 번 살펴볼까?

	1 일 88~97쪽 ☐
 3주  	**ㄴ 받침 뒤 된소리** 눈동자, 신다 눈사람, 손거울 산새, 안방 눈길, 눈덩이

4주 마무리 160~167쪽 ☐	5 일 156~159쪽 ☐	4 일 150~155쪽 ☐	3 일 144~149쪽 ☐
• 누구나 100점 TEST • 4주 특강	**4주 평가** • 받아쓰기 • QR 받아쓰기	**높임말** 주무시다(자다) 여쭈어보다(물어보다)	**높임말** 말씀(말) 생신(생일)

똑똑한
하루 어휘

총 14권

한글

예비초등 A　　　예비초등 B

예비초등

＊권장 대상: 5~7세 예비 초등
　　　　　　한글을 배우는 아동

- 자음자, 모음자, 받침 등 한글 기초 교재
- 붙임 딱지를 붙이며 한글의 짜임을 이해
- 한글을 익히며 자연스럽게 어휘력 키우기

맞춤법 + 받아쓰기

1단계 A, B / 2권

2단계 A, B / 2권

1~2단계

＊권장 대상: 초등 1학년 ~ 초등 2학년
　　　　　　한글에 익숙한 예비 초등

- 어휘로 공부하는 받아쓰기 교재
- 소리와 글자가 다른 낱말 집중 학습
- QR을 이용한 실전 받아쓰기

3단계 A, B / 2권

4단계 A, B / 2권

3~4단계

＊권장 대상: 초등 3학년 ~ 초등 4학년
　　　　　　어휘력이 필요한 초등 2학년

- 마인드맵, 꼬리물기 어휘 학습
- 주제 어휘, 알쏭 어휘, 교과 어휘, 한자 어휘 중심
- 어휘의 관계를 중심으로 말의 감각을 키워 주는 어휘 전문 교재

5단계 A, B / 2권

6단계 A, B / 2권

5~6단계

＊권장 대상: 초등 5학년 ~ 초등 6학년
　　　　　　어휘력이 필요한 초등 4학년

- 해시태그(#) 유사 어휘 퀴즈 학습
- 생활 어휘, 교과 어휘, 한자 어휘 중심
- 속담, 관용어, 사자성어를 중심으로 어휘의 폭을 넓혀 주는, 고학년 어휘 전문 교재

똑 똑 한

하루 어휘

맞춤법+받아쓰기

NEW!

1
단계
B
1~2학년

110여 개의 어휘로 배우는 맞춤법+받아쓰기!

하루하루 공부할 차례

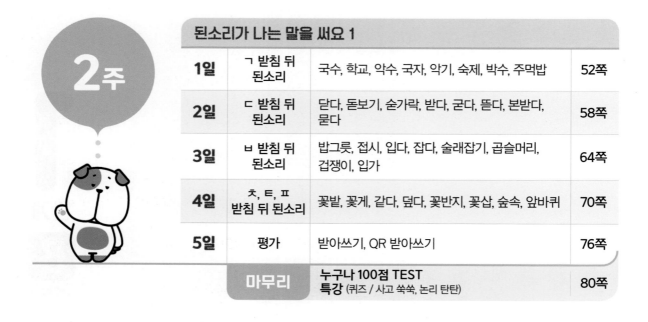

각 주별로 배우는 **맞춤법과 받아쓰기** 원리를 어휘 중심으로 정리했어요.
소리와 모양이 다른 말 쓰기부터 친구들이 가장 어려워하는 받침 쓰기까지
110여 개의 어휘로 공부해요!

맞춤법+받아쓰기, 이렇게 구성되어 있어요

맞춤법 원리를 정확하게 배우고 그림과 놀이를 통해 문장 안에서 낱말을 바르게 쓰는 활동을 해요. 한 주 동안 익힌 내용을 평가 문제와 받아쓰기로 확인하면 맞춤법과 받아쓰기를 똑똑하게 할 수 있어요! 또, 마무리 특강의 재미있는 문제들로 **사고력과 논리력도 쑥쑥!**

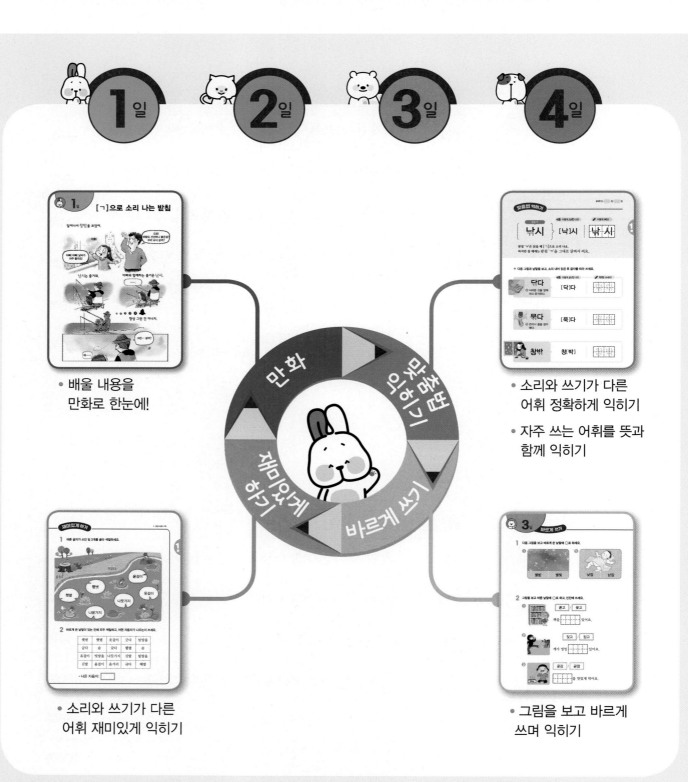

1일 · 배울 내용을 만화로 한눈에!

2일 · 소리와 쓰기가 다른 어휘 정확하게 익히기 · 자주 쓰는 어휘를 뜻과 함께 익히기

3일 · 그림을 보고 바르게 쓰며 익히기

· 소리와 쓰기가 다른 어휘 재미있게 익히기

맞춤법+받아쓰기, 시작해 볼까요?

똑똑한 하루 어휘 <맞춤법+받아쓰기>는 하루에 여섯 쪽씩 공부하며 실력을 다질 수 있어요.

지금부터 **똑똑한 하루 어휘 <맞춤법+받아쓰기>**로 공부를 시작해 보세요!

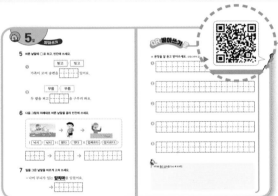

QR코드로 받아쓰기를 들을 수 있어요!
맞춤법과 받아쓰기를 똑똑하게 할 수 있어요!

받아쓰기 를 자신 있게!

• 받아쓰기를 하며 실력 마무리
• 띄어쓰기까지 함께 공부

주차 마무리

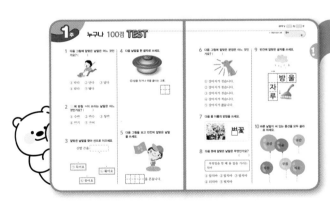

누구나 100점 TEST

• 다양한 문제를 풀면서 한 주에 배운 어휘 확인
• 배운 내용을 정리하면서 맞춤법 실력 확인

특강

• 배운 내용을 정리하며 사고력, 논리력 증진

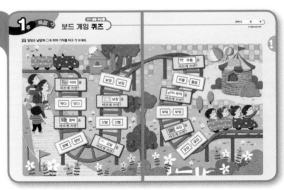

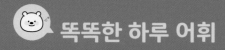
똑똑한 하루 어휘

맞춤법, 받아쓰기 왜 틀릴까요?
어떻게 해야 할까요?

낱말을 소리 나는 대로 쓰면 틀려요.

소리와 쓰기가 다른 낱말은 원리를 이해해야 해요.

받침 ㄱ + ㅇ	이렇게 소리 나요!	이렇게 써요!
악어	[아거]	악어

'악어'를 읽으면 '악'의 ㄱ 받침이 '어'와 만나 [아거]로 소리 나요. 하지만 쓸 때에는 받침 'ㄱ'을 그대로 살려서 써요.

뜻이 다르지만 소리가 같은 낱말을 자주 틀려요.

낱말을 외우지 않고 문장과 함께 이해해야 해요.

친구가 먼저 갔다.

나와 친구의 나이가 같다.

띄어 쓰는 곳을 잘 몰라서 엉뚱하게 띄어 쓰거나 다 붙여서 써요.

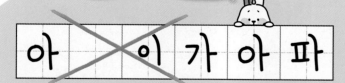

어디에서 끊어 읽는지 주의하며 문장을 들어요.

QR 받아쓰기
QR찍고 내용듣기 ▶

◆ 문장을 잘 듣고 받아쓰세요. (정답 4쪽의 문장을 불러 주시거나 QR을 찍어 들려주세요.)

① 아이가 ∨ 아파요.

등장인물

나돌

나리의 남동생이에요. 아직 어려서 어눌하지만 항상 나리만 쫓아다니지요.

나리

막 초등학교에 입학해 1학년이 되었어요. 엉뚱할 때도 있지만 착한 아이랍니다.

우영

나리와 같은 학교 친구예요. 우영이는 나리 때문에 몸이 고생해요!

달래

나리와 같은 학교 친구인 여자아이예요. 나리보다 어른스럽답니다.

나리네 가족들

나리 · 나돌 남매의 소중한 가족이에요. 아버지와 어머니, 강아지 검정이, 고양이 하양이까지!
시골에 계신 할아버지와 할머니도 나리와 나돌이를 몹시 아껴 주신답니다.

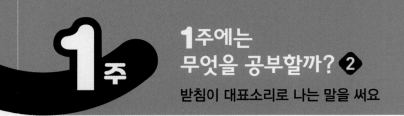

✸ 그림을 보고 낱말에 들어간 받침을 선으로 이으세요.

가 족 •

•

창 밖 •

•

부 엌 •

•

⭐ 그림을 보고 ㅅ 받침이 들어간 낱말에 모두 ○표를 하세요.

빗

빛

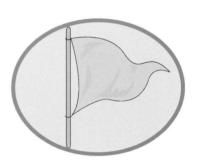

깃발

젖소

빗방울

[ㄱ]으로 소리 나는 받침

일어나서 **창밖**을 보았어.

맞춤법 익히기

1주

받침 ㄲ	🔊 이렇게 **소리** 나요!	✏️ 이렇게 **써요!**

낚시 } [낙]시 | 낚 시 |

받침 'ㄲ'은 읽을 때 [ㄱ]으로 소리 나요.
하지만 쓸 때에는 받침 'ㄲ'을 그대로 살려서 써요.

◆ 다음 그림과 낱말을 보고, 소리 내어 읽은 후 글자를 따라 쓰세요.

	🔊 이렇게 **소리** 나요!	✏️ **따라** 쓰세요!

닦다
뜻 더러운 것을 없애려고 문지르다.

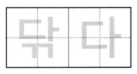
[닥]다

| 닦 | 다 |

묶다
뜻 끈이나 줄을 잡아 매다.

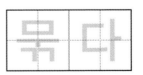
[묵]다

| 묶 | 다 |

창밖

창[박]

| 창 | 밖 |

1일 [ㄱ]으로 소리 나는 받침

받침 ㅋ

부억 } 부[억] | 부 억

이렇게 **써요!**

이렇게 **소리** 나요!

받침 'ㅋ'도 읽을 때 [ㄱ]으로 소리 나요.
하지만 쓸 때에는 받침 'ㅋ'을 그대로 살려서 써요.

◆ 다음 그림과 낱말을 보고, 소리 내어 읽은 후 글자를 따라 쓰세요.

이렇게 **소리** 나요! | **따라** 쓰세요!

ㅋ 키읔 | 키[읔] | 키읔

동녘
뜻 동쪽. | 동[녘] | 동녘

들녘
뜻 들이 있는 곳. | 들[녘] | 들녘

1 그림을 보고 바르게 쓴 낱말에 ◯표 하세요.

❶

아이가 ┌ 창박 ┐ 을 봐요.
      └ 창밖 ┘

❷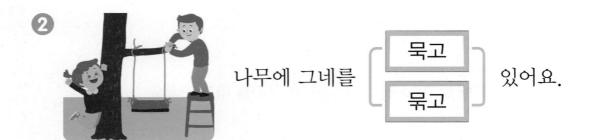

나무에 그네를 ┌ 묵고 ┐ 있어요.
           └ 묶고 ┘

❸

┌ 들녁 ┐ 에 허수아비가 있어요.
└ 들녘 ┘

2 잘못 쓴 낱말에 밑줄을 긋고 바르게 고쳐 쓰세요.

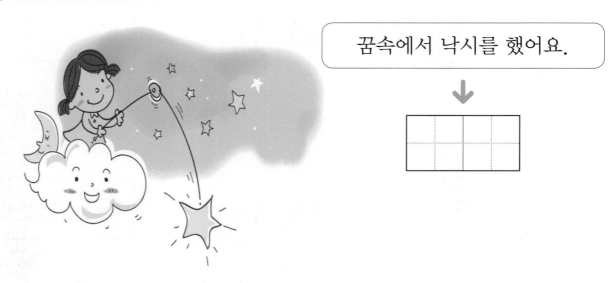

꿈속에서 낙시를 했어요.

↓

◑ 정답과 풀이 1쪽

● **보기** 처럼 구슬을 꿰어 문장을 만들어 보세요.

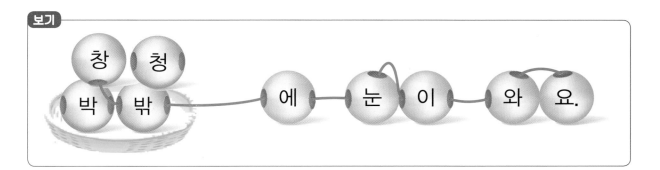

①

②

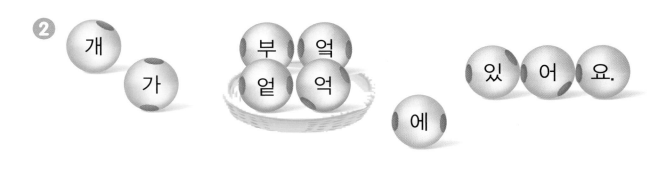

③

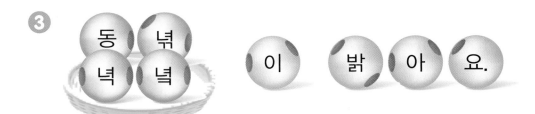

[ㄷ]으로 소리 나는 받침 ①

[ㄷ]으로 소리 나는 받침 ①

맞춤법 익히기

받침 ㅅ

햇볕 } [핻]볕 | **햇 볕**

🔊 이렇게 **소리** 나요!   ✏️ 이렇게 **써요!**

받침 'ㅅ'은 읽을 때 [ㄷ]으로 소리 나요.
하지만 쓸 때에는 받침 'ㅅ'을 그대로 살려서 써요.

◆ 다음 그림과 낱말을 보고, 소리 내어 읽은 후 글자를 따라 쓰세요.

🔊 이렇게 **소리** 나요!   ✏️ **따라** 쓰세요!

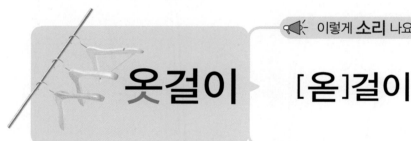

옷걸이 [옫]걸이 | 옷 걸 이

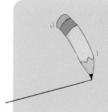

굿다
뜻 줄을 그리다. [귿]다 | 굿 다

깃발 [긷]발 | 깃 발

빗방울

뜻 비가 되어 떨어지는 물방울.

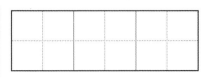

🔊 소리

[빋]방울

1주

벗다

뜻 몸에서 떼어 내다.
예 옷을 벗다.

🔊 소리

[벋]다

나뭇가지

뜻 나무의 가지.

🔊 소리

나[묻]가지

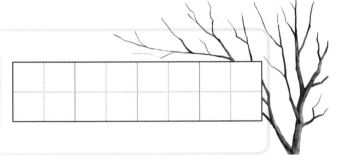

⁺더 익히기

받침 'ㅌ'도 읽을 때 [ㄷ]으로 소리 나요.
하지만 쓸 때에는 받침 'ㅌ'을 그대로 살려서 써요.

받침 ㅌ

솥

뜻 밥을 짓거나 국을
끓이는 그릇.

🔊 이렇게 소리 나요!

[솓]

🖊 이렇게 써요!

솥

1 그림을 보고 바른 낱말에 선을 잇고, 빈칸에 쓰세요.

①
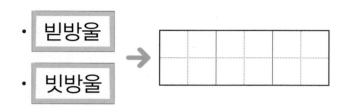
- 빈방울
- 빗방울
→

②
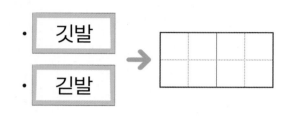
- 깃발
- 긷발
→

③
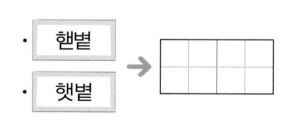
- 핸볕
- 햇볕
→

2 밑줄 그은 낱말을 바르게 고쳐 쓰세요.

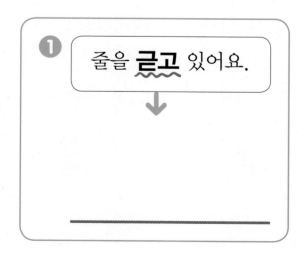
① 줄을 **귿고** 있어요.
↓

② **솓**에 밥이 가득.
↓

재미있게 하기

1 바른 글자가 쓰인 잎 3개를 골라 색칠하세요.

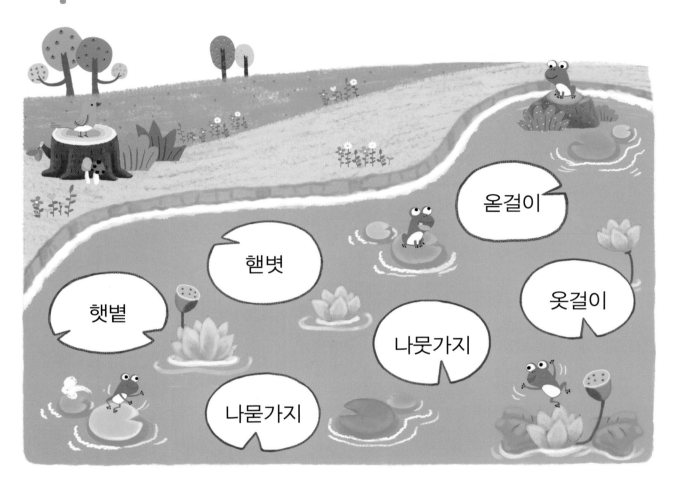

2 바르게 쓴 낱말이 있는 칸에 모두 색칠하고, 어떤 자음자가 나오는지 쓰세요.

햇변	햇볕	옷걸이	긋다	빗방울
귿다	솥	긎다	헫볕	솓
옥걸이	빗방울	나뭇가지	깃발	빋방울
긷발	옽걸이	옫거리	극다	해볕

• 나온 자음자: ☐

[ㄷ]으로 소리 나는 받침 ②

오늘은 호랑이와 **곶감** 이야기야.

호랑이는 아기가 울고 있는 집 마당에 들어갔어요.

곶감? 나보다 무서운 놈인가?

호랑이가 왔다. 울지 마라.
그래도 아이는 계속 울었어요.

곶감이다. 울지 마라.
그러자 아이가 울음을 뚝 그쳤어요.

호랑이는 생각했어요.
곶감이 나보다 더 무서운 놈인가 보다.

호랑이는 겁을 먹고 달아났어요.

음냐 음냐~
내가 곶감이다~

책 읽으면 하양이는 **낮잠**만 자.

[ㄷ]으로 소리 나는 받침 ②

맞춤법 익히기

받침 ㅈ | 🔊 이렇게 **소리** 나요! | ✏️ 이렇게 **써요!**

짓다 ▶ [짇]다 | 짓 다

받침 'ㅈ'은 읽을 때 [ㄷ]으로 소리 나요.
하지만 쓸 때에는 받침 'ㅈ'을 그대로 살려서 써요.

◆ 다음 그림과 낱말을 보고, 소리 내어 읽은 후 글자를 따라 쓰세요.

	🔊 이렇게 **소리** 나요!	✏️ **따라** 쓰세요!
 **곳감** 뜻 말린 감.	[곧]감	
 **빚다** 뜻 반죽해서 모양을 만들다.	[빋]다	
 **낮잠** 뜻 낮에 자는 잠.	[낟]잠	

바르게 써 보세요!

벚꽃
뜻 벚나무에 피는 꽃.

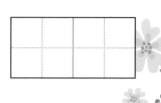
소리
[벋]꽃

꽂다
뜻 끼워 넣거나 세우다.
예 산에 깃발을 꽂다.

소리
[꼳]다

한낮
뜻 낮의 한가운데.

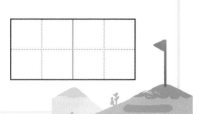
소리
한[낟]

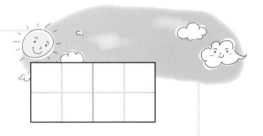

+더 익히기

받침 'ㅊ'도 읽을 때 [ㄷ]으로 소리 나요.
하지만 쓸 때에는 받침 'ㅊ'을 그대로 살려서 써요.

받침 ㅊ

빛

이렇게 **소리** 나요!
[빈]

이렇게 **써**요!

빛

1 다음 그림을 보고 바르게 쓴 낱말에 ◯표 하세요.

❶ 별빈 | 별빛

❷ 낮잠 | 낟잠

2 그림을 보고 바른 낱말에 ◯표 하고, 빈칸에 쓰세요.

❶ | 꼳고 / 꽂고 |

책을 ⬚⬚⬚⬚ 있어요.

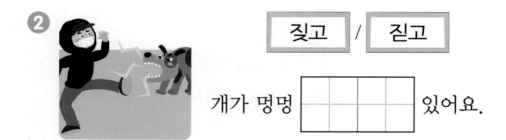

❷ | 짖고 / 짇고 |

개가 멍멍 ⬚⬚⬚ 있어요.

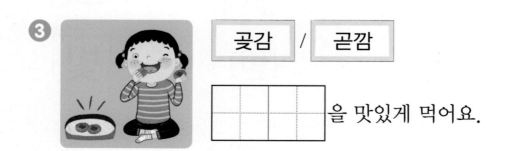

❸ | 곶감 / 곧깜 |

⬚⬚⬚ 을 맛있게 먹어요.

1 주

1 낱말이 바르게 쓰인 종이를 3개 골라 ◯표 하세요.

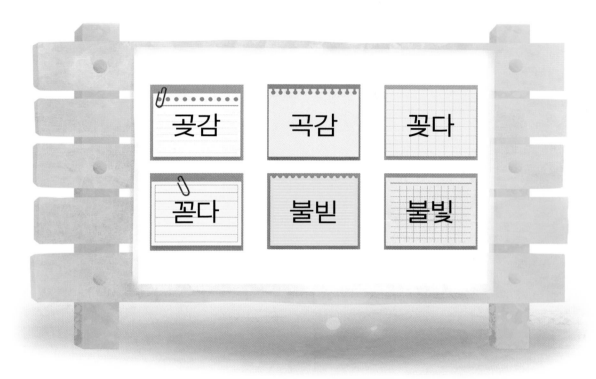

곶감   곡감   꽂다

꼳다   불빈   불빛

2 낱말이 바르게 쓰인 비늘을 3개 골라 ◯표 하세요.

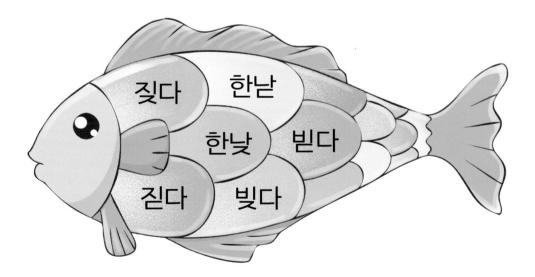

짖다   한낟   한낮   빈다   짇다   빛다

[ㅂ]으로 소리 나는 받침

엄마 **무릎**까지 다 젖었어.

앗, 차가워!

왜 그러세요?

또 물이 튀었어.

아이 참. 설거지만 하면 이러네.

흠~ 엄마한테 앞치마를 만들어 드릴까?

우리 엄마 **앞치마**를 만들어야지.

나는야 꼬마 재봉사!

헝겊을 잘라서

[ㅂ]으로 소리 나는 받침

받침 ㅍ 🔊 이렇게 **소리** 나요! ✏️ 이렇게 **써요!**

은행잎 은행[입] 은 행 잎

받침 'ㅍ'은 읽을 때 [ㅂ]으로 소리 나요.
하지만 쓸 때에는 받침 'ㅍ'을 그대로 살려서 써요.

◆ 다음 그림과 낱말을 보고, 소리 내어 읽은 후 글자를 따라 쓰세요.

🔊 이렇게 **소리** 나요! ✏️ **따라** 쓰세요!

 무릎 무[릅] 무 릎

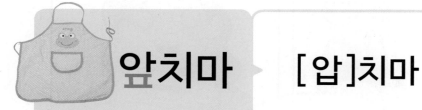 앞치마 [압]치마 앞 치 마

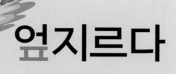 엎지르다 [업]지르다 엎 지 르 다
뜻 쏟아지게 하다.

바르게 써 보세요!

갚다
뜻 빌린 것을 돌려주다.

소리
[갑]다

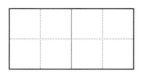

1주

덮개
뜻 무엇을 덮는 것.

소리
[덥]개

'덮개'는
'뚜껑'과 비슷한말!

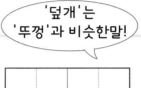

옆구리
뜻 가슴과 등 사이.

소리
[옆]구리

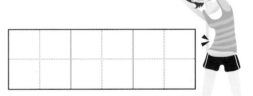

헝겊
뜻 천의 조각.

소리
헝[겁]

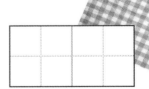

꽃잎
뜻 꽃을 이루는 잎.

소리
꽃[입]

1 다음 그림을 보고 바른 글자에 ◯표 하고, 낱말을 쓰세요.

①
(**앞** / 압)치마

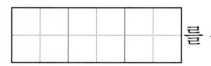 를 두르고 청소해요.

②
(업 / **엎**)지르고

물을 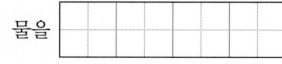 말았어요.

③
무(**릎** / 륲)

넘어져서 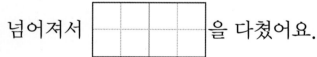 을 다쳤어요.

2 밑줄 그은 낱말을 바르게 고쳐 쓰세요.

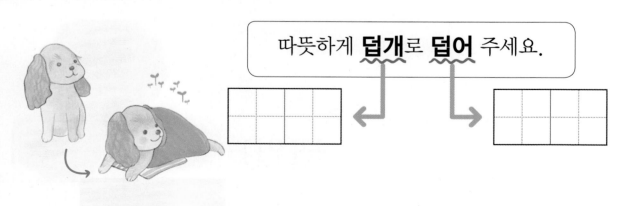

따뜻하게 **덥개**로 **덥어** 주세요.

◑ 정답과 풀이 2쪽

● 갑자기 비가 쏟아지고 있어요. 바르게 쓴 낱말을 따라가면 우산을 쓸 수 있어요. 알맞은 낱말에 ◯표 하고 길을 그려 보세요.

1 그림을 보고 바르게 쓴 낱말에 ◯표 하세요.

❶

| 묵다 | 묶다 | 묻다 |

❷
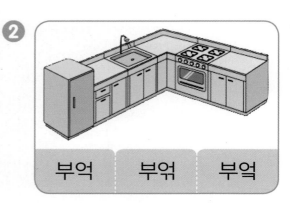
| 부억 | 부엌 | 부엌 |

2 다음 그림에 알맞은 낱말을 찾아 선으로 이어 보세요.

❶

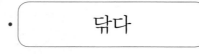 닦다

 닥다

❷
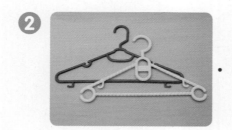

· 옫거리

· 옷걸이

❸

· 밥솓

· 밥솥

3 바르게 쓴 낱말이 있는 모자 2개를 찾아 ◯표 하세요.

창박   햇볕   벚꼳   은행잎   귿다

4 그림을 보고 바르게 쓴 낱말을 찾아 ◯표 하세요.

①
┌─────┐
│ 빈방울 │
├─────┤
│ 빗방울 │
└─────┘ 이 뚝뚝 떨어져요.

②  책장에 책을
┌─────┐
│ 꼳꼬 │
├─────┤
│ 꽂고 │
└─────┘ 있어요.

③  개가 사납게
┌─────┐
│ 짖고 │
├─────┤
│ 짇고 │
└─────┘ 있어요.

5 바른 낱말에 ◯표 하고, 빈칸에 쓰세요.

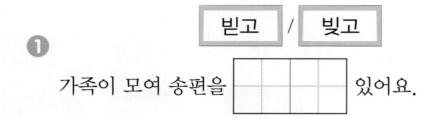

① 빚고 / 빗고

가족이 모여 송편을 [ ][ ] 있어요.

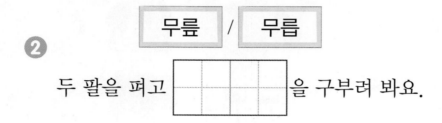

② 무릎 / 무릅

두 팔을 펴고 [ ][ ]을 구부려 봐요.

6 다음 그림의 차례대로 바른 낱말을 골라 빈칸에 쓰세요.

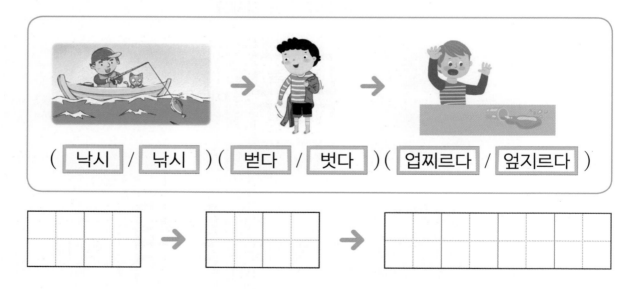

(낙시 / 낚시) (벋다 / 벗다) (업찌르다 / 엎지르다)

[ ][ ][ ] → [ ][ ] → [ ][ ][ ][ ][ ]

7 밑줄 그은 낱말을 바르게 고쳐 쓰세요.

• 나비 무늬가 있는 **압치마**를 입었어요.

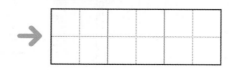

→ [ ][ ][ ][ ][ ]

◆ **문장을 잘 듣고 받아쓰세요.** (정답 3쪽의 문장을 불러 주시거나 QR을 찍어 들려주세요.)

1

2

3

4

5

 여기에 틀린 글자를 다시 써 보세요.

1 다음 그림에 알맞은 낱말은 어느 것인 가요? ( )

① 닥다   ② 단다   ③ 달다

④ 닦다   ⑤ 닫다

2   에 받침 ㄲ이 쓰이는 낱말은 어느 것인가요? ( )

① 수박   ② 박수   ③ 창밖

④ 아기   ⑤ 구어

3 알맞은 낱말을 찾아 선으로 이으세요.

신발 끈을 ☐

⊙ 묵어요

ⓒ 묶어요

ⓒ 묶어요

4 다음 낱말을 한 글자로 쓰세요.

뜻 밥을 짓거나 국을 끓이는 그릇.

☐

5 다음 그림을 보고 빈칸에 알맞은 낱말 을 쓰세요.

☐☐☐ 을 흔듭니다.

6 다음 그림에 알맞은 문장은 어느 것인가요? (　　　)

① 강아지가 짓습니다.

② 강아지가 짖습니다.

③ 강아지가 진습니다.

④ 강아지가 직습니다.

⑤ 강아지가 짔습니다.

7 다음 꽃 이름의 받침을 쓰세요.

버 꽃

8 다음 뜻에 알맞은 낱말은 무엇인가요?

(　　　)

> 부엌일을 할 때 몸 앞을 가리는 치마

① 압치마　② 앞치마　③ 암치마

④ 뒤치마　⑤ 뒷치마

9 빈칸에 알맞은 글자를 쓰세요.

10 바른 낱말이 써 있는 풍선을 모두 골라 ○표 하세요.

보드 게임 퀴즈

📖 알맞은 낱말에 ◯표 하며 기차를 타고 가 보세요.

1 바르게 쓴 낱말을 모두 찾아 색칠해 보세요. 어떤 그림이 숨어 있을까요?

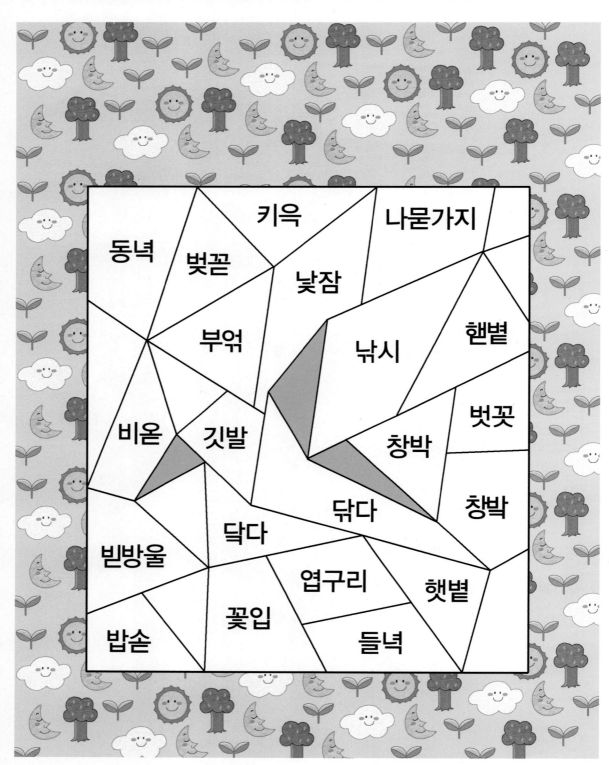

2 〔보기〕와 같이 그림의 낱말을 쓰고, 낱말에 쓰인 받침을 모두 찾아 색칠해 보세요.

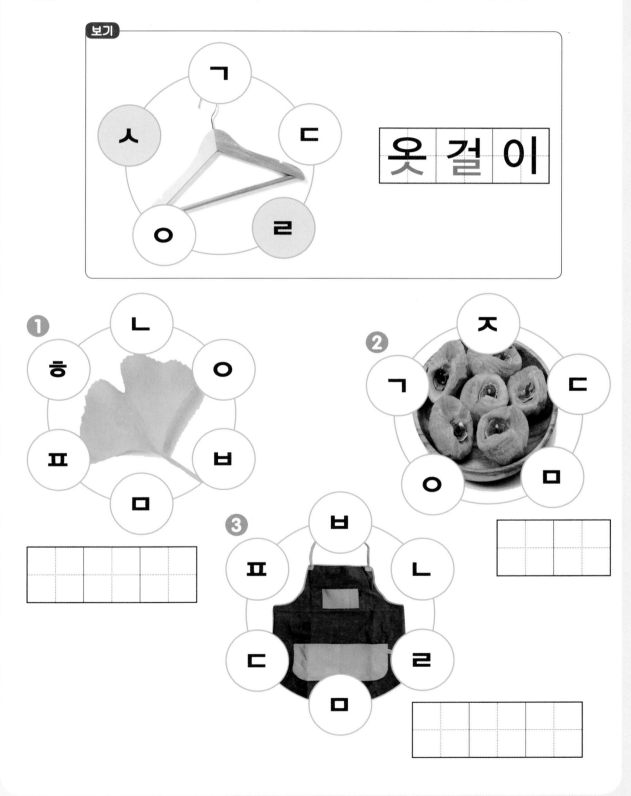

논리 탄탄

1 화살표 방향대로 칸을 따라가면 낱말이 만들어져요. 보기와 같이 만들어지는 낱말을 쓰세요.

보기

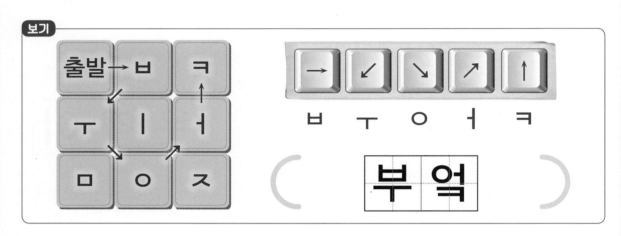

ㅂ ㅜ ㅇ ㅓ ㅋ

(부엌)

1

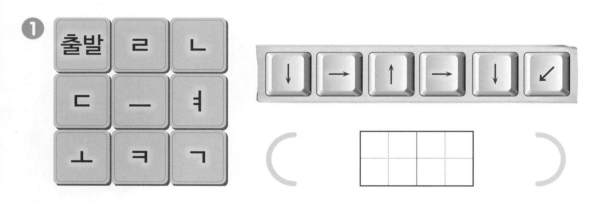

(　　　　　)

2

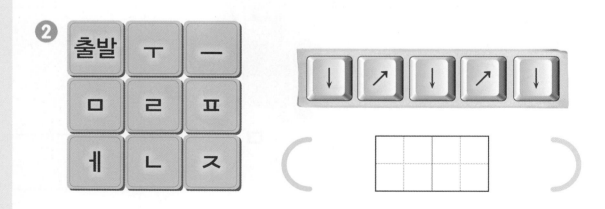

(　　　　　)

2 보기 와 같이 다음 낱말은 어떤 낱말로 나누어지는지 쓰세요.

보기

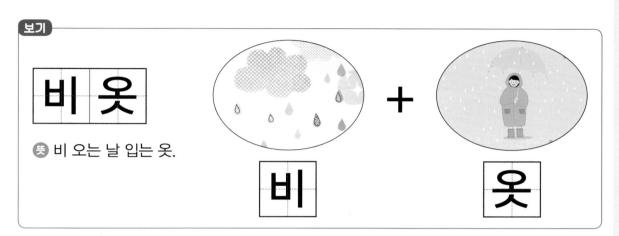

| 비 | 옷 |

뜻 비 오는 날 입는 옷.

❶

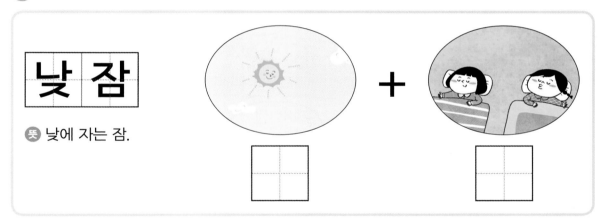

| 낮 | 잠 |

뜻 낮에 자는 잠.

❷

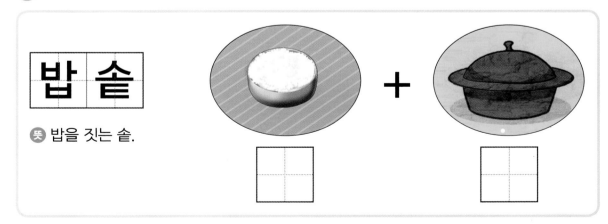

| 밥 | 솥 |

뜻 밥을 짓는 솥.

2주

2주에는 무엇을 공부할까? ①

된소리가 나는 말을 써요1

★ 그림을 보고 빈칸에 들어갈 글자가 바른 낱말을 골라 ○표 해 보세요.

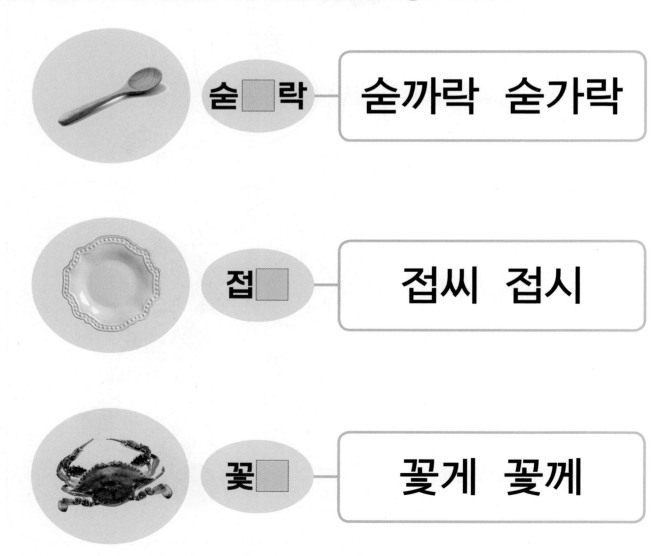

숟□락 — 숟까락 숟가락

접□ — 접씨 접시

꽃□ — 꽃게 꽃께

✪ 그림을 보고 빈칸에 들어갈 알맞은 글자에 ⭕표 해 보세요.

국▢

| 소 | 수 |
| 쑤 | 숙 |

악▢

| 고 | 기 |
| 끼 | 가 |

주먹▢

| 밥 | 방 |
| 빱 | 발 |

'**ㄱ**' 받침 뒤 된소리

학교 가는 길은 언제나 즐거워.

학교 다녀오겠습니다.

그래, 잘 다녀와.

어디선가 아름다운 **악기** 소리.

비빔국수

골목 끝에선 구수한 **국수** 냄새.

2주

친구들 만나 반갑게 **악수**도 했지요.

안녕?

주말 잘 보냈어?

그런데…
왠지 이상한 기분이 들어요.

아차, **숙제**를 집에 두고 왔어요!

엄마, 숙제 좀 **택배**로 보내 주시면 안 될까요?

'ㄱ' 받침 뒤 된소리

 맞춤법 익히기

🔊 이렇게 **소리** 나요!

✏️ 이렇게 **써**요!

국수 ↗ ㅆ → 국[쑤] | 국 수

앞 글자의 받침 'ㄱ' 다음에 된소리(ㄲ, ㄸ, ㅃ, ㅆ, ㅉ)로 나는 말이 있어요. '국수'는 '국[쑤]'로 소리 나지만 쓸 때에는 원래 글자를 그대로 살려서 써요.

◆ 다음 그림과 낱말을 보고, 소리 내어 읽은 후 글자를 따라 쓰세요.

🔊 이렇게 **소리** 나요!   ✏️ **따라** 쓰세요!

 **학교** ↗ ㄲ → 학[꾜] |  학 교

 **악수** ↗ ㅆ → 악[쑤] |  악 수

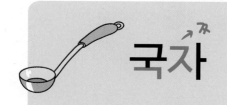 **국자** ↗ ㅉ → 국[짜] |  국 자

악기

뜻 소리를 내어 음악을 만드는 것.

🔊 소리

악[끼]

택배

뜻 물건을 배달해 주는 일.
예 오늘 **택배**가 왔어요.

🔊 소리

택[빼]

숙제

뜻 집에서 하는 공부.
예 오늘은 **숙제**가 없어요.

🔊 소리

숙[쩨]

박수

뜻 두 손뼉을 마주 침.
예 저 **박수** 소리가 들리니?

🔊 소리

박[쑤]

주먹밥

뜻 주먹 모양으로 뭉친 밥.
예 저는 **주먹밥**이 좋아요.

🔊 소리

주먹[빱]

1 그림을 보고 바른 낱말에 ◯표 하고, 빈칸에 쓰세요.

❶

학교
학꾜

 에 가요.

❷

국쑤
국수

 를 먹어요.

❸

숙제
숙쩨

 를 해요.

2 밑줄 그은 낱말을 바르게 고쳐 쓰세요.

❶ **국짜**로 국을 퍼요.

→

❷ **악끼**를 연주해요.

→

● 짝이 되는 글자를 선으로 이으세요.

① 신나게 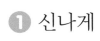 · 를 쳐요.

② 반갑게 · 를 해요.

③ 집에 ·   가 왔어요.

④ 동그란  ·

2일 '　ㄷ　' 받침 뒤 된소리

우리 가족 이야기 들어 볼래?

할머니는 늘 **돋보기**로 책을 읽고 계셔.

옳지, 잘한다!

동생은 요즘 **숟가락**으로 밥을 먹고 있어.

엄마는 낱말 카드를 만들어 주셨어.

나는 낱말 카드로 열심히 공부했지.

2일 'ㄷ' 받침 뒤 된소리

ㄷ 받침 뒤 된소리	🔊 이렇게 **소리** 나요!	✏️ 이렇게 **써요!**
닫 → ㄸ **닫다**	닫[따]	닫 다

앞 글자의 받침 'ㄷ' 다음에 된소리 (ㄲ, ㄸ, ㅃ, ㅆ, ㅉ)로 나는 말이 있어요. '닫다'는 '닫[따]'로 소리 나지만 쓸 때에는 원래 글자를 그대로 살려서 써요.

◆ 다음 그림과 낱말을 보고, 소리 내어 읽은 후 글자를 따라 쓰세요.

🔊 이렇게 **소리** 나요!　　　✏️ **따라** 쓰세요!

 **돋보기** → 돋[뽀]기　　　돋 보 기

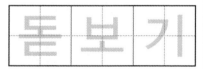

 **숟가락** → 숟[까]락　　　숟 가 락

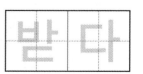

받다 → 받[따]　　　받 다

뜻 다른 사람이 주는 것을 가지다.

[따]로 소리 나지만 '다'로 써요.

바르게 써 보세요!

굳다
뜻 단단하거나 딱딱해지다.
예 빵이 딱딱하게 굳다.

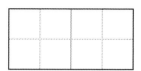
소리
굳[따]

본받다
뜻 그대로 따라 하다.
예 부모님을 본받고 싶다.

소리
본받[따]

뜯다
뜻 떼거나 찢다.
예 봉투를 뜯고 편지를 꺼냈다.

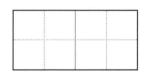
소리
뜯[따]

곧다
뜻 비뚤지 않고 똑바르다.
예 허리를 곧게 펴고 앉자.

소리
곧[따]

묻다
뜻 궁금한 것을 알려 달라고 하다.
예 길을 묻고 있어요.

소리
묻[따]

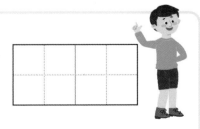

1 그림을 보고 바른 낱말에 ◯표 하고, 빈칸에 쓰세요.

❶

| 받꼬 | / | 받고 |

선물을 ⬚⬚⬚⬚ 싶어요.

❷

| 돋보기 | / | 돋뽀기 |

⬚⬚⬚⬚⬚ 로 관찰해요.

❸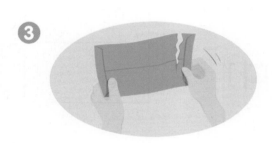

| 뜯따 | / | 뜯다 |

편지 봉투를 ⬚⬚⬚ .

2 밑줄 그은 낱말을 바르게 고쳐 쓰세요.

❶ **숟까락**이 떨어졌어요.

→ ⬚⬚⬚⬚⬚

❷ 문을 **닫꼬** 나가요.

→ ⬚⬚⬚⬚

● ㄷ 받침 뒤의 글자를 바르게 쓴 낱말을 11개 찾아 색칠해 보세요. 그리고 낱말을 모두 찾으면 어떤 자음자가 나오는지 쓰세요.

받꼬	받다	굳다	본받다	굳께
묻꼬	숟까락	닫따	돋보기	받씁니다
곧찌	묻지	닫지	굳고	곧따
받찌	숟가락	닫끼	본받꼬	받께
곧꼬	닫고	본받지	곧게	묻께
돋쁘기	묻따	굳찌	본받따	묻씁니다

낱말을 모두 찾아 색칠하면

자음자 '☐'이 나와요.

3일 'ㅂ'받침 뒤 된소리

내 친구 윤아는요,

머리는 구불구불 **곱슬머리**이고요.

난 국수가 좋아.

난 라면이 좋아.

입가엔 항상 미소를 띠지요.

이 길로 쭉 가시면 약국이 나와요.

어머, 괜찮니?

겁쟁이인 나와는 달리 무척 용감해요.

악! 무서워.

잠깐! 가만 있어 봐.

우리는 이렇게 서로 달라요.
하지만 **술래잡기**도, 물놀이도
늘 함께하는 단짝이에요.

3일 'ㅂ' 받침 뒤 된소리

맞춤법 익히기

ㅂ 받침 뒤 된소리

밥그릇 ➡ 밥[끄]릇

🔊 이렇게 **소리** 나요!

✏️ 이렇게 **써요!**

밥	그	릇

앞 글자의 받침 'ㅂ' 다음에 된소리(ㄲ, ㄸ, ㅃ, ㅆ, ㅉ)로 나는 말이 있어요. '밥그릇'은 '밥[끄]릇'으로 소리 나지만 쓸 때에는 원래 글자를 그대로 살려서 써요.

◆ 다음 그림과 낱말을 보고, 소리 내어 읽은 후 글자를 따라 쓰세요.

🔊 이렇게 **소리** 나요!　　✏️ **따라** 쓰세요!

접시 ➡ 접[씨]

접	시

입다 ➡ 입[따]

뜻 옷을 몸에 두르다.

입	다

잡다 ➡ 잡[따]

뜻 동물을 죽이다.

잡	다

술래잡기

뜻 숨은 친구들을 잡는 놀이.
예 우리 **술래잡기** 하자.

🔊 소리

술래잡[끼]

곱슬머리

뜻 고불고불하게 말려 있는 머리털.

🔊 소리

곱[쓸]머리

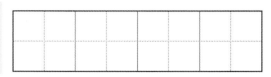

겁쟁이

뜻 겁이 많은 사람.
예 나는 **겁쟁이**가 아니야.

🔊 소리

겁[쨍]이

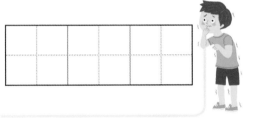

입가

뜻 입의 가장자리.
예 **입가**에 자장면이 묻었어.

🔊 소리

입[까]

춥다

뜻 몸이 차갑다.
예 겨울에는 날씨가 **춥다**.

🔊 소리

춥[따]

1 그림을 보고 바르게 쓴 낱말에 ◯표 하세요.

1

[입까 / 입가] 에 밥풀이 묻었어요.

2

날씨가  눈이 와요.
[춥고 / 춥꼬]

3

우리 가족은 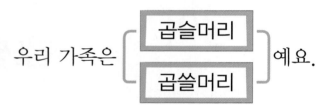 예요.
[곱슬머리 / 곱쓸머리]

2 밑줄 그은 낱말을 바르게 고쳐 쓰세요.

1 친구들과 **술래잡끼**를 해요.

→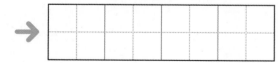

2 예쁜 옷을 **입꼬** 학교에 가요.

→

1 그림에 알맞은 낱말 3개를 찾아 ◯표 한 것입니다. 빈칸에 알맞은 글자를 써넣으세요.

지	❶접	사	귀	❸술
사		밥	고	래
개	복	구	입	잡
❷밥		룻	장	

2 낱말이 바르게 쓰인 눈덩이를 3개 찾아 ◯표 하세요.

춥따

춥다

접씨

접시

겁쨍이   잡다   잡따

'**ㅊ, ㅌ, ㅍ**' 받침 뒤 된소리

엄마에게 무엇을 선물 할까?

첫째는 **꽃반지**를 만들겠대요.

둘째는 **숲속**에서 도토리를 주워 왔어요.

난 도토리 목걸이를 해 드려야지.

난 뭘 하지? 엄마가 꽃 가꾸기를 좋아하니까 **꽃삽**을 선물할까?

막내도 멋진 선물을 떠올렸지요.

아, 맞다! 엄마한테 노래를 불러 드리면 어떨까?

그것 좋네! 노래에 춤도 **곁들이면** 더 좋겠어.

맞아! 노래도 선물이 될 수 있지.

ㅊ 받침 뒤 된소리

꽃밭 → ㅃ

🔊 이렇게 **소리** 나요!

꽃[빧]

✏️ 이렇게 **써요!**

꽃 밭

앞 글자의 받침 'ㅊ, ㅌ, ㅍ' 다음에 된소리(ㄲ, ㄸ, ㅃ, ㅆ, ㅉ)로 나는 말이 있어요. 하지만 쓸 때에는 원래 글자를 그대로 살려서 써요.

◆ 다음 그림과 낱말을 보고, 소리 내어 읽은 후 글자를 따라 쓰세요.

ㅊ 받침 뒤 된소리

 꽃게 → ㄲ

🔊 이렇게 **소리** 나요!

꽃[께]

✏️ **따라** 쓰세요!

꽃 게

ㅌ 받침 뒤 된소리

 같다 → ㄸ

같[따]

같 다

ㅍ 받침 뒤 된소리

 덮다 → ㄸ

덮[따]

덮 다

꽃반지

뜻 꽃으로 만든 반지.
예 풀꽃으로 **꽃반지**를 만들어요.

소리

꽃[빤]지

꽃삽

뜻 꽃나무를 가꾸는 데 쓰는 작은 삽.

소리

꽃[쌉]

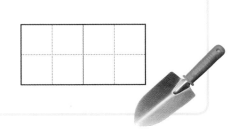

곁들이다

뜻 어떤 일에 다른 일을 같이 하다.
예 고기에 채소를 **곁들여** 먹자.

소리

곁[뜰]이다

숲속

뜻 숲의 안쪽.
예 **숲속**은 공기가 맑아요.

소리

숲[쏙]

앞바퀴

뜻 차의 앞에 달린 바퀴.
예 **앞바퀴**가 찌그러졌어.

소리

앞[빠]퀴

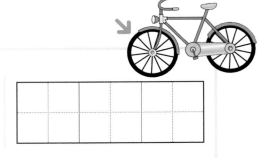

1 그림을 보고 바른 낱말에 ◯표 하고, 빈칸에 쓰세요.

❶

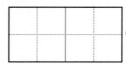

| 꽃빹 | / | 꽃밭 |

에 꽃들이 피어 있어요.

❷

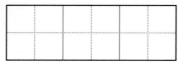

| 앞바퀴 | / | 앞빠퀴 |

가 찌그러졌어요.

❸

| 숲쏙 | / | 숲속 |

공기는 참 맑아요.

2 밑줄 그은 낱말을 바르게 고쳐 쓰세요.

❶ 예쁜 **꽃빤지**를 끼었어요.

→ | | | | | |
|---|---|---|---|---|

❷ 냉면에 김치를 **곁뜰여** 먹어요.

→ | | | | |
|---|---|---|---|

1 그림을 보고 빈칸에 알맞은 글자를 써넣으세요.

개	❶ 꽃	같	❸ 앞
비		분	
밭	속	덮	퀴
수	❷ 꽃		자

2 낱말이 바르게 쓰인 연을 3개 찾아 ◯표 하세요.

꽃밭

덮다

숲쏙

꽃빨

덮따

숲속

1 그림에 알맞은 낱말을 바르게 쓴 것에 ◯표 하세요.

① | 숟가락 | 숟까락 | 숫가락

② | 숙제 | 숙쩨 | 숙재

2 그림을 보고 바르게 쓴 낱말에 ◯표 하세요.

자세가   곧다. / 곧따.

3 바르게 쓴 낱말이 있는 구슬을 3개 찾아 ◯표 하세요.

춥따   같다   돋뽀기

악수   학꾜   밥그릇

4 그림에 알맞은 낱말을 찾아 선으로 이으세요.

• • 묻따

• 묻다

• • 술래잡기

• 술래잡끼

• • 아끼

• 악기

5 그림을 보고 밑줄 그은 낱말을 바르게 고쳐 쓰세요.

맛있는 **주먹빱**을 먹어요.

→

접씨를 깨뜨렸어요.

→

5일 **받아쓰기**

6 바르게 쓴 낱말에 ◯표 하고, 빈칸에 쓰세요.

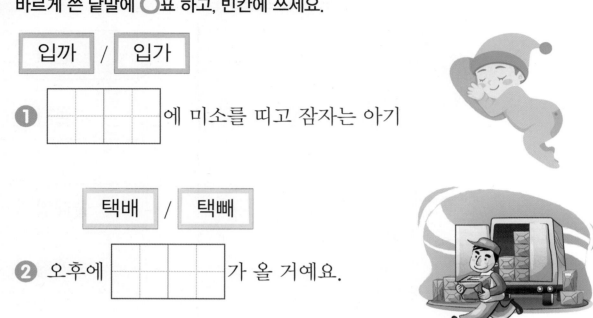

입까 / 입가

❶ [   ] 에 미소를 띠고 잠자는 아기

택배 / 택빼

❷ 오후에 [   ] 가 올 거예요.

7 주사위를 바르게 굴려서 문장을 만들어 보세요.

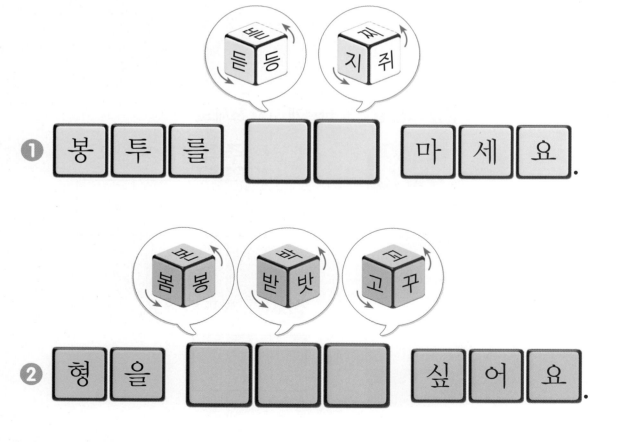

❶ 봉 투 를 [   ] [   ] 마 세 요 .

❷ 형 을 [   ] [   ] [   ] 싶 어 요 .

◑ 정답과 풀이 7쪽

◆ **문장을 잘 듣고 받아쓰세요.** (정답 7쪽의 문장을 불러 주시거나 QR을 찍어 들려주세요.)

1

2

3

4

5

여기에 **틀린 글자를** 다시 써 보세요.

1 다음 그림의 이름을 바르게 쓴 것에 ○표 하세요.

학꼬	학교

2 바르게 쓴 낱말은 어느 것인가요?

( )

① 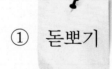 돈뽀기   ② 주먹밥

③ 숟까락   ④ 밥끄릇

⑤ 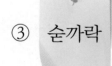 앞빠퀴

3 다음 빈칸에 들어갈 글자는 어느 것인가? ( )

박	

① 쑤   ② 슈   ③ 수

④ 소   ⑤ 숙

4 그림을 보고 바르게 쓴 낱말을 이으세요.

•

• ㉠   • ㉡

| 꽃쌉 | | 꽃삽 |

5 밑줄 그은 말을 바르게 고쳐 쓰세요.

허리를 <u>곧께</u> 펴고 앉아요.

→

6 그림을 보고 바른 낱말에 ◯표 하세요.

• 문을 [닫꼬 / 닫고] 다녀요.

7 빈칸에 들어갈 알맞은 낱말은 무엇인가요? (　　　)

나도 선물을 [　　　] 싶어요.

① 받꼬　　　　② 받고
③ 박고　　　　④ 박꼬
⑤ 발꼬

8 빈칸에 들어갈 알맞은 말에 ◯표 하세요.

나는
[　　　]가
아니에요.

겁쨍이　　　겁쟁이　　　껍쟁이

9 보기 에서 글자를 골라 그림에 알맞은 낱말을 쓰세요.

보기
곷　꽃　께　꼳　게

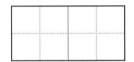

10 그림을 보고 빈칸에 들어갈 말을 보기 에서 골라 써넣으세요.

보기
자　수　기

국

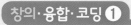
보드 게임 퀴즈

📖 길을 따라가며 질문에 알맞은 낱말에 ◯표 해 보세요.

사고 쑥쑥

1 비어 있는 퍼즐판에 들어갈 글자를 바구니에서 찾아 써넣으세요.

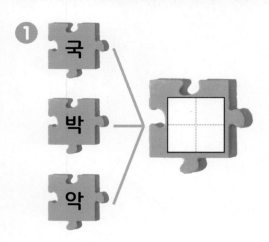

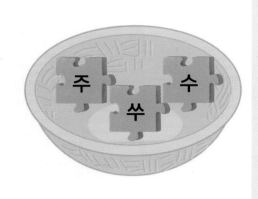

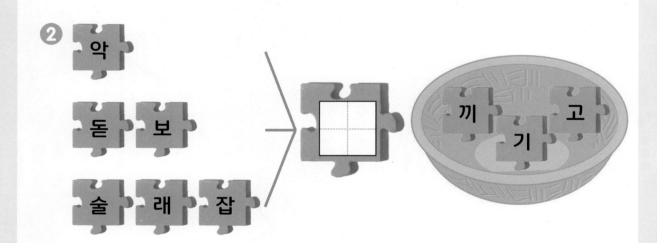

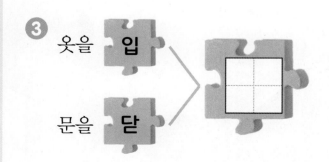

2 친구들이 어떤 낱말에 대해 설명하고 있어요. 내용에 알맞은 글자를 골라 ○표 하고 낱말을 만들어 써 보세요.

❶

> 자는 자인데 잴 수는 없어.

> 부엌에 있는 자야.

> 국물을 뜰 때 사용하지.

국　　접
짜　　주　　자
시

→ ▢▢

❷

> 두 손바닥을 맞부딪치는 거야.

> '수박'을 거꾸로 하는 것과 같아.

> 짝짝짝 소리가 나.

악　　박
가　호　쑤
수

→ ▢▢

1 여러 가지 그림 위에 글자가 있네요. 보기와 같이 같은 그림을 찾아서 알맞은 낱말을 만들어 써 보세요.

보기

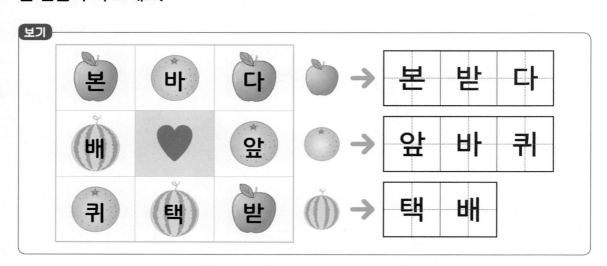

❶
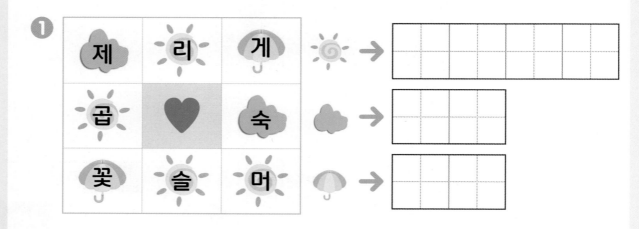

❷
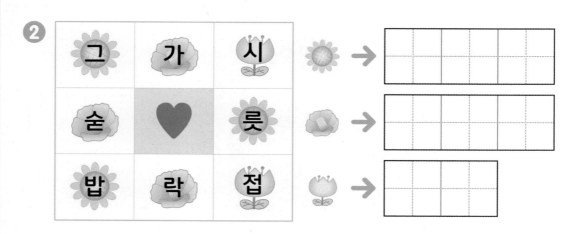

2

삼행시의 앞 글자가 가려져 있네요. 무슨 글자일지 **보기** 와 같이 빈칸에 알맞은 글
자를 모아 낱말을 만들어 보세요.

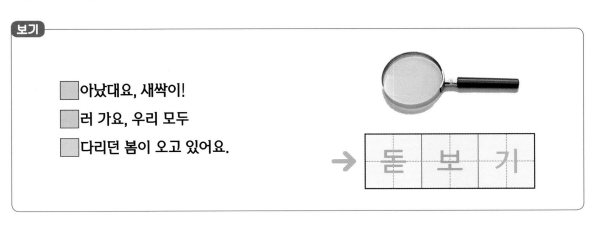

보기

☐ 아났대요, 새싹이!

☐ 러 가요, 우리 모두

☐ 다리던 봄이 오고 있어요.

→ | 돋 | 보 | 기 |

①

☐ 밭에 꽃이 피었어요.

☐ 가운 마음이

☐ 구보다 더 커요.

→ | | | | |

②

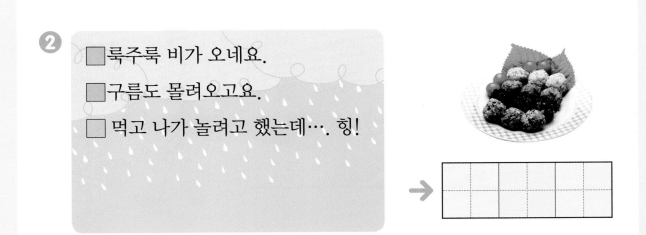

☐ 룩주룩 비가 오네요.

☐ 구름도 몰려오고요.

☐ 먹고 나가 놀려고 했는데… 힝!

→ | | | | |

⭐ 선을 따라가며 글자를 이어 알맞은 낱말을 찾아 ⭕표 해 보세요.

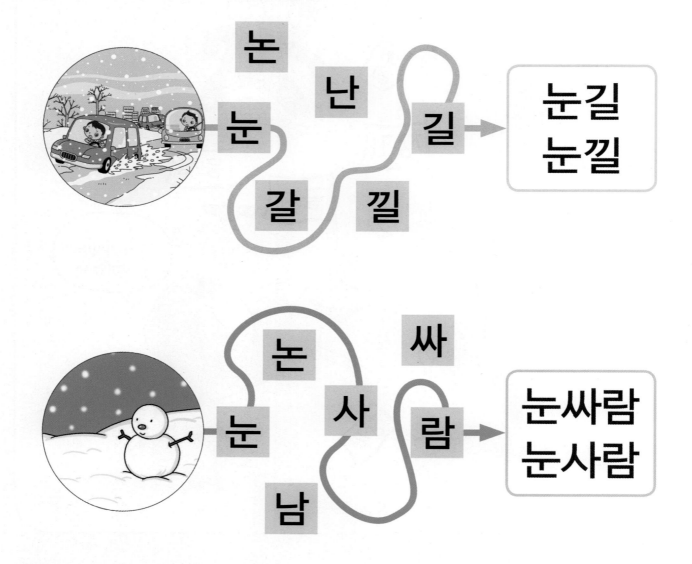

3주

⭐ 그림을 보고 빈칸에 들어갈 글자가 바른 낱말을 골라 선으로 이어 보세요.

　　김◻　•　• 김밥
　　　　　　　　　　• 김빱

　　물◻기　•　• 물꼬기
　　　　　　　　　　• 물고기

　　상◻　•　• 상짱
　　　　　　　　　　• 상장

'ㄴ' 받침 뒤 된소리

밤새 소복소복 눈이 왔어요.

와! 눈 왔다!

털 장화 신고 나가,

영차, 영차!

눈덩이를 굴려 굴려.

눈사람을 만들어요.

1일 'ㄴ' 받침 뒤 된소리

맞춤법 익히기

ㄴ 받침 뒤 된소리

눈동자 ㄸ

🔊 이렇게 **소리** 나요!

눈[똥]자

✏️ 이렇게 **써**요!

눈	동	자

앞 글자의 받침 'ㄴ' 다음에 된소리(ㄲ, ㄸ, ㅃ, ㅆ, ㅉ)로 나는 말이 있어요. '눈동자'는 '눈[똥]자'로 소리 나지만 쓸 때에는 원래 글자를 그대로 살려서 써요.

◆ 다음 그림과 낱말을 보고, 소리 내어 읽은 후 글자를 따라 쓰세요.

🔊 이렇게 **소리** 나요!　　　　✏️ **따라** 쓰세요!

신다 ㄸ

신[따]

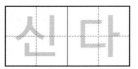

눈사람 ㅆ

눈[싸]람

손거울 ㄲ

손[꺼]울

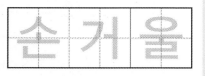

소리 나는 대로 쓰지 않도록 주의해요.

✏️ 바르게 써 보세요!

산새
- 뜻 산에서 사는 새.
- 예 **산새** 소리가 들려왔다.

🔊 소리
산[쌔]

안방
- 뜻 한 집안의 안주인이 지내는 방.
- 예 **안방**에 큰 침대가 있어요.

🔊 소리
안[빵]

눈길
- 뜻 눈에 덮인 길.
- 예 **눈길**이 미끄러워요.

🔊 소리
눈[낄]

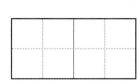

눈덩이
- 뜻 동그랗게 뭉쳐 놓은 눈.
- 예 **눈덩이**를 만들자.

🔊 소리
눈[떵]이

손동작
- 뜻 손의 움직임.
- 예 **손동작**이 빠르다.

🔊 소리
손[똥]작

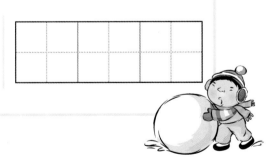

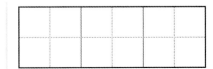

3주

1 그림을 보고 빈칸에 알맞은 낱말을 보기 에서 찾아 쓰세요.

보기
눈낄   신고   산새   신꼬   눈길   산쌔

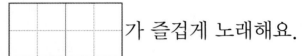 가 즐겁게 노래해요.

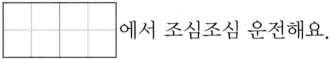 에서 조심조심 운전해요.

축구화를 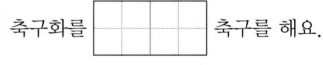 축구를 해요.

2 밑줄 그은 낱말을 바르게 고쳐 쓰세요.

① 크고 검은 **눈똥자**

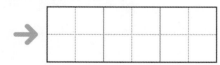

② 나처럼 **손똥작**을 따라 해 봐요.

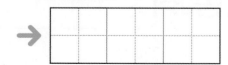

1 바른 낱말이 쓰인 바구니를 골라 ◯표 하세요.

2 바른 낱말이 쓰인 우산 2개를 찾아 ◯표 하세요.

'¬' 받침 뒤 된소리

나는 누구일까요?

?

나는 바다에 사는 동물이에요.
물고기를 잡아먹고요.

헤엄을 잘 치게 생겼는데!

다리는 지느러미로 되어 있어요.
그래서 **발자국**이 이렇죠.

친구들과 바위 많은 **물가**에서 놀기도 해요.

내 이름은 '물'로 시작하는 두 **글자**예요.

물?

물가?

물건?

아하! 물개!

맞아요! 나는 **물개**랍니다.

야, 물개다!

맞춤법 익히기

ㄹ 받침 뒤 된소리	이렇게 **소리** 나요!	이렇게 **써요**!
물감↗ㄲ	물[깜]	물 감

앞 글자의 받침 'ㄹ' 다음에 된소리(ㄲ, ㄸ, ㅃ, ㅆ, ㅉ)로 나는 말이 있어요. '물감'은 '물[깜]'으로 소리 나지만 쓸 때에는 원래 글자를 그대로 살려서 써요.

◆ 다음 그림과 낱말을 보고, 소리 내어 읽은 후 글자를 따라 쓰세요.

		이렇게 **소리** 나요!	따라 **쓰세요**!
	물개↗ㄲ	물[깨]	물 개
	발바↗ㅃ닥	발[빠]닥	발 바 닥
	물고↗ㄲ기	물[꼬]기	물 고 기

바르게 써 보세요!

길가
뜻 길의 양쪽 가장자리.
예 **길가**에 핀 코스모스

소리 길[까]

[까]로 소리 나지만 '가'로 써야 해요.

물가
뜻 물이 있는 곳의 가장자리.
예 수달은 **물가**에 산다.

소리 물[까]

철길
뜻 기차가 다니는 쇠로 된 길.
예 **철길** 위로 기차가 와요.

소리 철[낄]

글자
뜻 말을 적는 기호.
예 한글은 우리나라 **글자**야.

소리 글[짜]

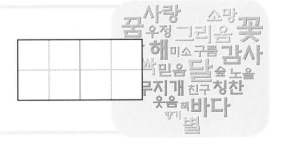

발자국
뜻 발로 밟은 자리에 남은 모양.

소리 발[짜]국

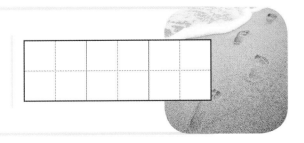

1 그림을 보고 바른 낱말에 ◯표 하고, 빈칸에 쓰세요.

❶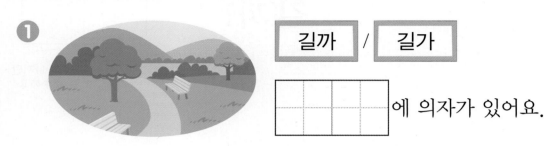

| 길까 | / | 길가 |

☐☐ 에 의자가 있어요.

❷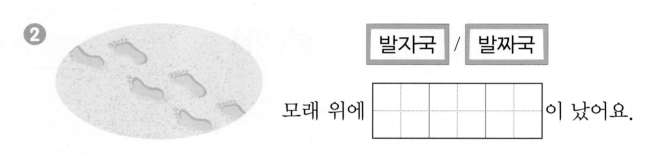

| 발자국 | / | 발짜국 |

모래 위에 ☐☐☐☐ 이 났어요.

❸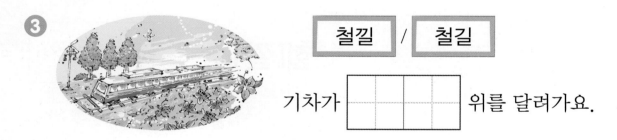

| 철낄 | / | 철길 |

기차가 ☐☐ 위를 달려가요.

2 밑줄 그은 낱말을 바르게 고쳐 쓰세요.

❶ 우리는 즐겁게 **글짜**를 배우고 있어요.

→ ☐☐☐

❷ 모래밭을 걸으니 **발빠닥**이 간지러워요.

→ ☐☐☐☐

1 글자가 바르게 쓰인 것을 찾아 ◯표 하세요.

2 글자가 바르게 쓰인 얼음덩이를 3개 찾아 ◯표 하고, 길을 그려서 아기 펭귄이 엄마 펭귄에게 가도록 도와주세요.

'ㅁ' 받침 뒤 된소리

우리 아빠 **잠버릇**은 우스워요.

드르렁 **숨소리**는 천둥 같고요.

혹시 호랑이가?

앗, 천둥소리!

가끔은 **몸동작**도 재미있어요.

킥킥!

잠결에 중얼중얼 잠꼬대도 하지요.

오늘은 김밥을 만들어야겠네.

여기 **김밥** 하나 주세으요으이~.

음냐 음냐

앗!

그래도 알람 소리 울리면 벌떡 일어나는 우리 아빠.

나는 그런 아빠가 정말 좋아요!

3일 ‘ㅁ’ 받침 뒤 된소리

ㅁ 받침 뒤 된소리 | 🔊 이렇게 소리 나요! | ✏️ 이렇게 써요!

숨소리 숨[쏘]리 | 숨 소 리

앞 글자의 받침 ‘ㅁ’ 다음에 된소리(ㄲ, ㄸ, ㅃ, ㅆ, ㅉ)로 나는 말이 있어요. ‘숨소리’는 ‘숨[쏘]리’로 소리 나지만 쓸 때에는 원래 글자를 그대로 살려서 써요.

◆ 다음 그림과 낱말을 보고, 소리 내어 읽은 후 글자를 따라 쓰세요.

🔊 이렇게 소리 나요! | ✏️ 따라 쓰세요!

 밤길

밤[낄]

 밤 길

 김밥

김[빱]

 김 밥

 침방울

침[빵]울

 침 방 울

몸집

뜻 몸의 크기나 부피.
예 내 동생은 **몸집**이 작아.

🔊 소리

몸[찝]

[찝]으로 소리 나지만 '집'로 써야 해요.

잠결

뜻 잠이 어렴풋이 들거나 깬 상태.

🔊 소리

잠[껼]

잠버릇

뜻 잠잘 때에 하는 버릇.
예 나는 **잠버릇**이 심해.

🔊 소리

잠[뻐]릇

봄바람

뜻 봄철에 부는 바람.
예 **봄바람**이 살랑살랑 불어.

🔊 소리

봄[빠]람

몸동작

뜻 몸을 움직이는 동작.
예 **몸동작**을 따라 해 봐요.

🔊 소리

몸[똥]작

1 그림을 보고, 카드의 낱말을 맞춤법에 맞게 고쳐 쓰세요.

❶

잠버릇

동생은 [　　　　　]이 심해요.

❷

김빱

맛있는 [　　　]을 만들어요.

❸

몸찝

삼촌은 [　　　]이 아주 커요.

2 밑줄 그은 낱말을 바르게 고쳐 쓰세요.

❶ <u>몸똥작</u>이 아름다워요.

→ [　　　　　]

❷ <u>침빵울</u>이 많이 튀어요.

→ [　　　　　]

1 그림에 알맞은 낱말 3개를 찾아 ◯표 한 것입니다. 빈칸에 알맞은 글자를 써넣으세요.

법	①김	방	③침
감		집	
몸	곰	버	울
②밤		갈	람

2 낱말이 바르게 쓰인 구름을 3개 찾아 ◯표 하세요.

숨쏘리

숨소리

잠껼

잠결

봄빠람

봄바람

'○' 받침 뒤 된소리

우리는 콩이야.
맛도 좋고 영양도 좋아
장점이 많지.

작다고 무시하지
말아요.

나는야,
메주 될 거야.~
♪♬

우리를 삶으면 메주를 만들 수 있어.

메주로 된장 만드는 거
나는 알지.

메주가 된장이 되면 우린 **장독대**로 가.

콩이 아니고
된장이야!

여기 콩이 살고
있어요!

된장은 콩으로
만든 거잖아.

옛날엔 우리를 삶아 뜨거운 **방바닥**에 두었어.
구수한 청국장이 되라고.

청국장 끓이는
냄새는 고약하지만
맛은 끝내 줘요.

우리를 볶아서 갈면 **콩가루**가 돼.
이것을 떡에 묻혀 인절미를 만들었지.

쫄깃하고
고소해요.

인정!

이렇게 맛있는 음식으로
변신할 수 있는 우리 어때?
멋지지?

'○' 받침 뒤 된소리

맞춤법 익히기

○ 받침 뒤 된소리	🔊 이렇게 **소리** 나요!	✏️ 이렇게 **써**요!
방**바**닥	방[빠]닥	방 바 닥

앞 글자의 받침 '○' 다음에 된소리(ㄲ, ㄸ, ㅃ, ㅆ, ㅉ)로 나는 말이 있어요. '방바닥'은 '방[빠]닥'으로 소리 나지만 쓸 때에는 원래 글자를 그대로 살려서 써요.

◆ 다음 그림과 낱말을 보고, 소리 내어 읽은 후 글자를 따라 쓰세요.

	🔊 이렇게 **소리** 나요!	✏️ **따라** 쓰세요!
 상장	상[짱]	상 장
 종소리	종[쏘]리	종 소 리
 콩가루	콩[까]루	콩 가 루

장점

뜻 좋거나 잘하는 점.
예 누구나 **장점**이 있어요.

🔊 소리

장[쩜]

[쩜]으로
소리 나지만
'점'으로 써야
해요.

종점

뜻 버스 등이 다니는 구간의
맨 끝 지점.

🔊 소리

종[쩜]

창가

뜻 창문과 가까운 곳이나 옆.
예 나는 **창가** 자리가 좋아.

🔊 소리

창[까]

강가

뜻 강의 가장자리.
예 우리는 **강가**를 따라 걸었다.

🔊 소리

강[까]

장독대

뜻 장독을 놓을 수 있도록
좀 높게 만든 곳.

🔊 소리

장[똑]대

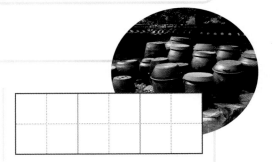

1 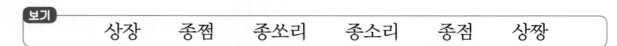 에서 알맞은 낱말을 찾아 빈칸에 쓰세요.

보기

| 상장 | 종쩜 | 종쏘리 | 종소리 | 종점 | 상짱 |

❶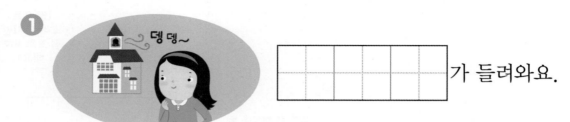

데 데~

□□□□ 가 들려와요.

❷

버스가 □□ 에 도착했어요.

❸

아버지께서 □□ 을 받으셨어요.

2 밑줄 그은 낱말을 바르게 고쳐 쓰세요.

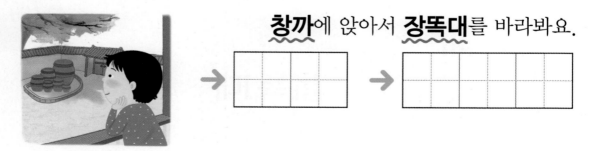

창까에 앉아서 **장똑대**를 바라봐요.

→ □□□ → □□□□

1 그림을 보고 **보기**에서 글자를 골라 빈칸에 알맞은 낱말을 쓰세요.

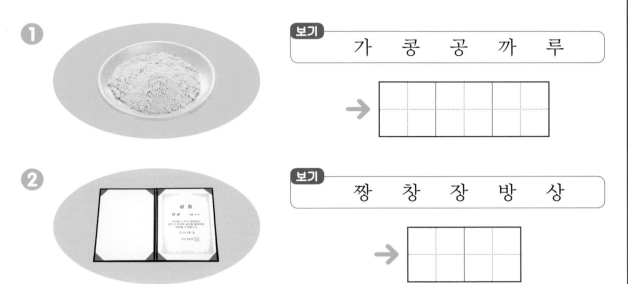

❶

보기
가 콩 공 까 루

→

❷

보기
짱 창 장 방 상

→

2 낱말이 바르게 쓰인 물고기 3마리를 찾아 ◯표 하세요.

장쩜

방바닥

장점

강까

강가

방빠닥

1 그림에 알맞은 낱말을 바르게 쓴 것에 ◯표 하세요.

❶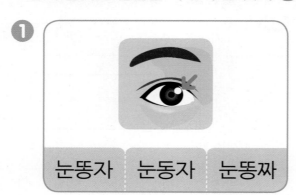

| 눈똥자 | 눈동자 | 눈똥짜 |

❷

| 손꺼울 | 쏜꺼울 | 손거울 |

2 그림에 알맞은 낱말을 바르게 쓴 것을 선으로 이으세요.

❶  •

• 눈사람

• 눈싸람

❷  •

• 발빠닥

• 발바닥

❸  •

• 침빵울

• 침방울

3 밑줄 그은 낱말이 바른 것에는 ◯표, 틀린 것에는 ✕표 하세요.

• 하얀 **눈낄** 위에 **발자국**이 찍혔어요.
    (   )   (   )

4 그림을 보고 바르게 쓴 낱말에 ◯표 하세요.

❶    

봄바람
봄빠람
이 살랑살랑

❷    

숨쏘리
숨소리
가 쌔근쌔근

❸    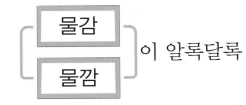

물감
물깜
이 알록달록

5 그림을 보고 알맞은 낱말을 보기 에서 찾아 쓰세요.

보기
밤낄   철길   철낄   밤길   빰길   절낄

❶ 기다란 [ ][ ]

❷ 어두운 [ ][ ]

6 빈칸에 공통으로 들어갈 글자를 쓰세요.

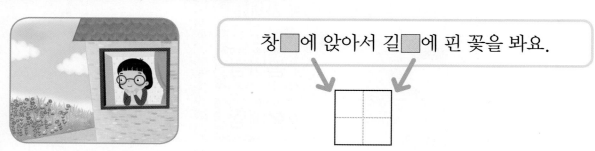

창▨에 앉아서 길▨에 핀 꽃을 봐요.

↓   ↓

[ ]

7 다음 카드에 쓰여 있는 낱말을 바르게 고쳐 쓰세요.

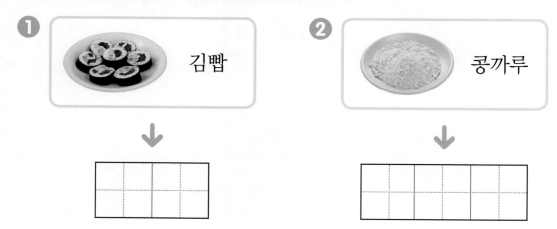

❶ 김빱

↓

[ ][ ]

❷ 콩까루

↓

[ ][ ][ ]

QR찍고 내용듣기 ▶

◑ 정답과 풀이 11쪽

◆ **문장을 잘 듣고 받아쓰세요.** (정답 11쪽의 문장을 불러 주시거나 QR을 찍어 들려주세요.)

3
주

①

②

③

④

⑤

여기에 **틀린** 글자를 다시 써 보세요.

1 그림을 보고 바르게 쓴 낱말을 알맞게 선으로 이으세요.

•

• ㉠   • ㉡

| 숨쓰리 | | 숨소리 |

2 빈칸에 공통으로 들어갈 글자는 어느 것인가요? ( )

| 글 | |

| 발 | | 국 |

① 짜   ② 차

③ 싸   ④ 저

⑤ 자

3 다음 그림의 이름을 바르게 쓴 것에 ○표 하세요.

| 김밥 | | 김빱 |

4 다음 낱말 중에서 바른 것은 어느 것인가요? ( )

① 눈낄   ② 물감

③ 몸뚱작   ④ 눈싸람

⑤ 콩까루

5 빈칸에 들어갈 알맞은 낱말을 골라 ○표 하세요.

| 아기가 양말을 [   ] 있어. |

| 신꼬 | | 신고 |

6 빈칸에 들어갈 알맞은 말에 ◯표 하세요.

| 물깨 | 물개 | 물께 |

7 보기 에서 글자를 골라 그림에 알맞은 낱말을 쓰세요.

보기
| 꼬 | 물 | 끼 | 기 | 고 |

| | | |
| | | |

8 밑줄 그은 낱말을 바르게 고쳐 쓰세요.

방<u>빠닥</u>에 물을 엎질렀어요.

→ | | | |

9 빈칸에 들어갈 알맞은 말을 바르게 쓴 것은 어느 것인가요? (　　　)

| | 가 들려와요.

① 총소리　　　② 종소리

③ 종쏘리　　　④ 총쏘리

⑤ 중쏘리

10 그림을 보고 빈칸에 들어갈 말을 보기 에서 골라 써넣으세요.

보기
| 싸 | 동 | 자 | 똥 | 사 |

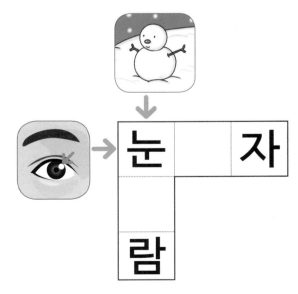

| 눈 | 자 |
| 람 | |

📖 길을 따라가며 질문에 알맞은 낱말에 ○표 해 보세요.

◑ 정답과 풀이 11쪽

1 글자를 모아 낱말을 만들고 있어요. 그림 위에 쓰인 글자를 잘 살펴보고, 보기와 같이 낱말을 만들어 써 보세요.

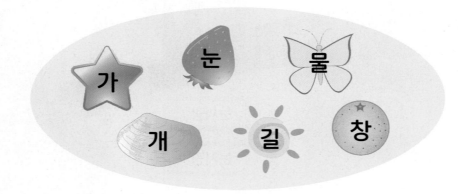

보기

❶
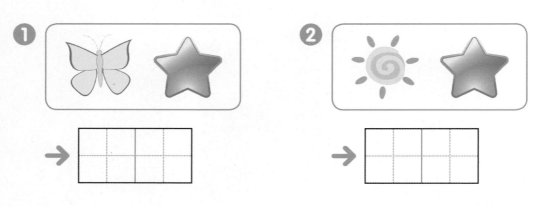

❷

❸
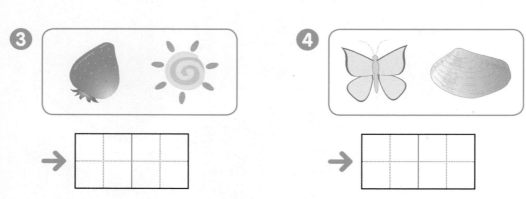

❹

2 휴대 전화 화면을 보고 낱말을 만들고 있어요. 보기 와 같이 알맞은 글자에 ◯표 하고 그 글자로 낱말을 만들어 보세요.

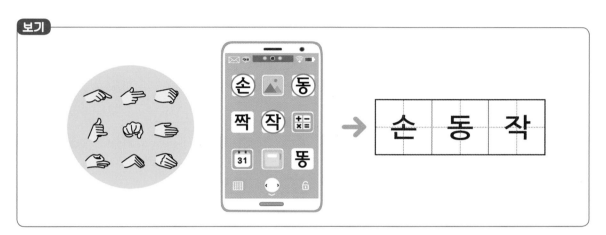

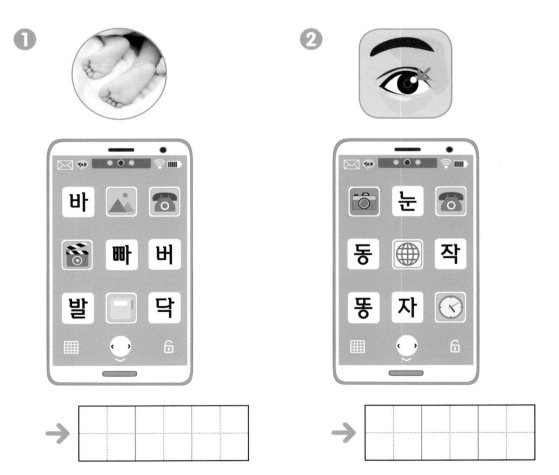

창의·융합·코딩 ③

논리 탄탄

1 글자판에서 글자를 모아 낱말을 만들려고 해요. 보기 와 같이, 색칠된 칸에 해당하는 글자를 찾아 ○표 하고, 낱말을 만들어 쓰세요.

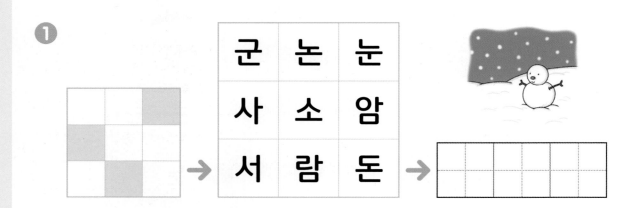

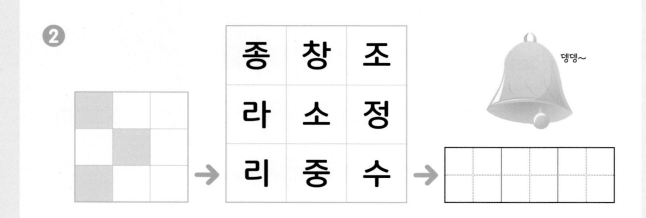

2 친구들이 수수께끼를 내고 있어요. 문제를 잘 읽고 보기 에서 알맞은 글자를 골라 수수께끼의 답을 써 보세요.

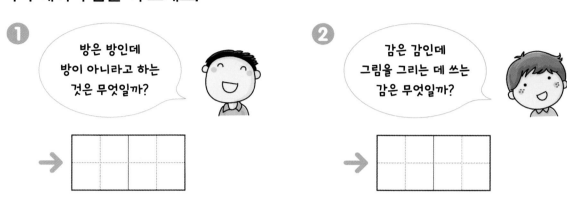

❶ 방은 방인데 방이 아니라고 하는 것은 무엇일까?

→ ☐ ☐

❷ 감은 감인데 그림을 그리는 데 쓰는 감은 무엇일까?

→ ☐ ☐

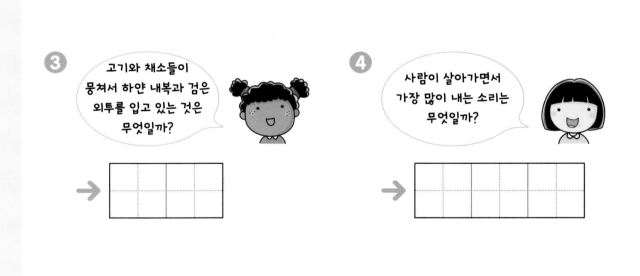

❸ 고기와 채소들이 뭉쳐서 하얀 내복과 검은 외투를 입고 있는 것은 무엇일까?

→ ☐ ☐

❹ 사람이 살아가면서 가장 많이 내는 소리는 무엇일까?

→ ☐ ☐ ☐

보기

밥	안	감
소	방	리
숨	김	물

4주에는 무엇을 공부할까? ①

알맞은 높임말을 써요

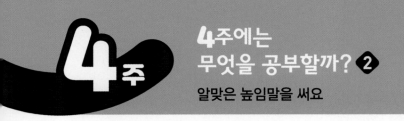

⭐ 다음 중 높임말을 써야 하는 사람을 모두 골라 선으로 이으세요.

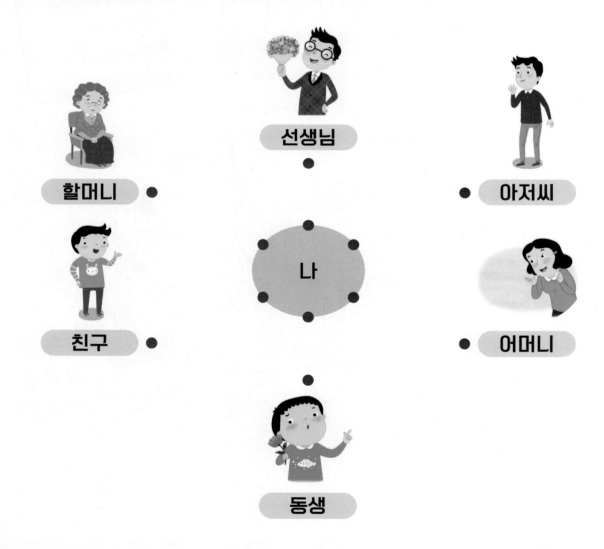

선생님

할머니 •   • 아저씨

친구 •   나   • 어머니

동생

★ 보기 와 같이 친구에게 하는 인사말과 웃어른께 하는 인사말을 짝 지어 보세요.

친구에게 하는 말	웃어른께 하는 말
보기 안녕?	안녕하세요?
잘 가.	반갑습니다.
반가워.	안녕히 가세요.
고마워.	안녕히 주무세요.
잘 자.	고맙습니다.

진지(밥) / 드시다(먹다)

높임말 익히기

🐻 잘못 쓴 표현

할아버지, 밥 먹어요.

🐻 바른 높임 표현

할아버지, 진지 드세요.

웃어른께는 '밥'이라고 하지 않고 '진지'라고 해요. '먹다'도 '드시다'나 혹은 '잡수시다'라고 높임말을 써요.

4
주

◆ 그림과 문장을 보고, 소리 내어 읽은 후 높임말을 따라 쓰세요.

아버지, 진지 드세요.

아버지께서 진지를

드십니다.

 '아버지께서', '어머니께'와 같이 웃어른 뒤에는 '께'나 '께서'를 붙여 높임을 표현해요.

연세(나이)

 **높임말 익히기**

 **잘못 쓴 표현**

어머니 나이가 몇 살이에요?

 **바른 높임 표현**

어머니 | 연 | 세 | 가 어떻게 되세요?

웃어른께는 '나이'라고 하지 않고 '연세'라고 해요. '연세가 어떻게 되시나요?'와 같이 높임말을 써요.

4주

◆ 그림과 문장을 보고, 소리 내어 읽은 후 높임말을 따라 쓰세요.

 | 연 | 세 | 가 많으신 할아버지.

 우리 할머니 | 연 | 세 | 는 *일흔입니다.

* 일흔 : 70

 스물은 20, 서른은 30, 마흔은 40, 쉰은 50, 예순은 60이에요.

1 그림을 보고 바른 낱말에 ◯표 하세요.

❶

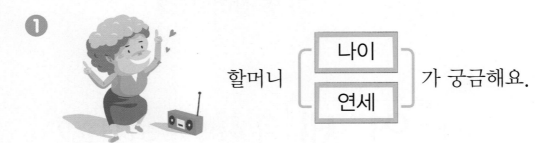

할머니 [나이 / 연세] 가 궁금해요.

❷

할머니, [밥 / 진지] 드세요.

❸

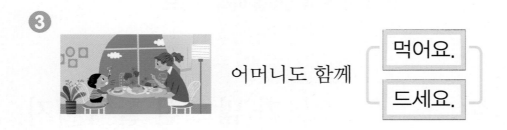

어머니도 함께 [먹어요. / 드세요.]

2 밑줄 그은 낱말을 바르게 고쳐 쓰세요.

❶ 우리 아버지 **나이**는 *마흔입니다.

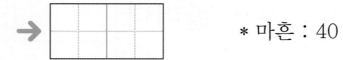

* 마흔 : 40

❷ 아버지, **밥** 드세요.

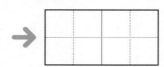

1 저울 위 낱말 중 높임말에 ◯표 하세요.

2 그림에 어울리는 표현을 찾아 선을 이으세요.

수박을

드시다

수박을

먹다

2일 성함(이름)

 **높임말 익히기**

 **잘못** 쓴 표현

> 할아버지 이름이 궁금해요.

바른 높임 표현

> 할아버지 | 성 | 함 |이 궁금해요.

웃어른의 이름은 높임말로 '성함'이라고 해요. 아버지 성함, 할아버지 성함
과 같이 높임말을 써요.

4주

◆  그림과 문장을 보고, 소리 내어 읽은 후 높임말을 따라 쓰세요.

아버지의  성 함 을
　　　　　　　바르게 씁니다.

선생님께서  성 함 을
　　　　　　　알려 주셨습니다.

댁(집)

 잘못 쓴 표현

할머니 집에 놀러 가요.

바른 높임 표현

할머니 **댁** 에 놀러 가요.

윗어른이 사시는 집은 집이라고 하지 않고 '댁'이라고 높임말을 써요. 할머니 댁, 할아버지 댁, 선생님 댁과 같이 써요.

4 주

◆ 그림과 문장을 보고, 소리 내어 읽은 후 높임말을 따라 쓰세요.

 어서 와!

오늘은 선생님 에

가기로 했어요.

할머니, 할아버지 은

시골입니다.

1 그림을 보고 바른 낱말에 ◯표 하세요.

①

친구네 │ 집 │ / │ 댁 │ 에 가요.
       (   )   (   )

②

할머니, 할아버지 │ 집 │ / │ 댁 │ 에 가요.
               (   )   (   )

③

여기가 선생님 │ 집 │ / │ 댁 │ 이야.
            (   )   (   )

2 밑줄 그은 낱말을 바르게 고쳐 쓰세요.

① 내 짝꿍 **성함**은 김하율입니다.

→ ⬚⬚⬚⬚

짝꿍 이름

② 아버지 **이름**을 바르게 씁니다.

→ ⬚⬚⬚

재미있게 하기

1 그림을 보고 빈칸에 '댁'이나 '집'을 쓰세요.

할머니 ☐☐   영수네 ☐☐

강아지 ☐☐   삼촌 ☐☐

2 가족의 이름을 쓰고 있어요. 빈칸에 '이름'이나 '성함'을 쓰세요.

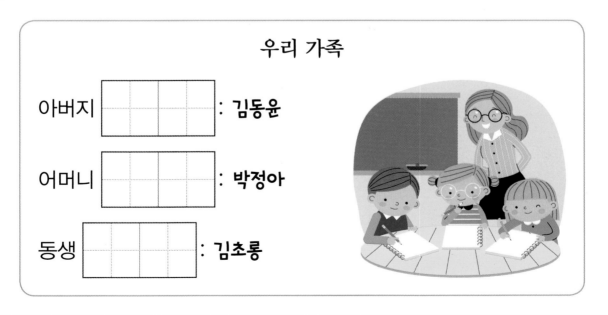

우리 가족

아버지 ☐☐☐ : **김동윤**

어머니 ☐☐☐ : **박정아**

동생 ☐☐☐ : **김초롱**

 **높임말 익히기**

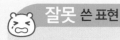 잘못 쓴 표현

아버지께서 말하셨습니다.

 바른 높임 표현

아버지께서 **말 씀** 하셨습니다.

웃어른의 말은 '말씀'으로 높여서 써요. '말씀'은 '말'의 높임말이에요.
어머니의 말씀, 선생님의 말씀과 같이 써요.

4주

◆ 그림과 문장을 보고, 소리 내어 읽은 후 높임말을 따라 쓰세요.

 선생님께서  하십니다.

 선생님의  을
잘 듣습니다.

 웃어른께 하는 나의 말도 "말씀"으로 공손하게 표현해요.
⑩ "어머니, 제가 말씀드리고 싶은 게 있어요."

생신(생일)

오늘은 할아버지 생일(×) 생신이야.

 **잘못** 쓴 표현

아버지 생일을 축하드려요.

바른 높임 표현

아버지 　생　신　을 축하드려요.

웃어른이 태어난 날은 '생일'이라고 하지 않고 '생신'이라고 높여서 말해요.
'생신'은 '생일'의 높임말이에요.

4
주

◆ 그림과 문장을 보고, 소리 내어 읽은 후 높임말을 따라 쓰세요.

선생님 　생　신　이 오늘이야.

선생님, 　생　신　 축하드려요.

1 그림을 보고 바른 낱말에 ◯표 하고, 빈칸에 쓰세요.

① 오늘이 무슨 날이지?

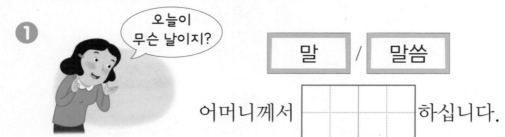

말 / 말씀

어머니께서 [ ][ ] 하십니다.

② 아! 맞다!

생일 / 생신

오늘은 할아버지 [ ][ ] 이에요.

③

생일 / 생신

할아버지, [ ][ ] 축하드려요.

2 밑줄 그은 낱말을 바르게 고쳐 쓰세요.

① 어머니 **생일**은 내일입니다.

→ [ ][ ]

② 부모님 **말**을 잘 듣겠습니다.

→ [ ][ ]

1 달력의 날짜 밑에 '생일'이나 '생신'을 쓰세요.

아버지

짝꿍 영수의

할머니

내

2 카드에 들어갈 알맞은 말을 찾아 색칠하세요.

엄마, (생일 / 생신)을 축하드려요.

엄마 (말 / 말씀) 잘 듣는 착한

아이가 될게요.

주무시다(자다)

오늘은 신나는 일요일!

윗어른께는 **주무시다**라고 높임말을 써야 해.

 잘못 쓴 표현

할아버지께서 잔다.

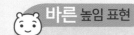 **바른** 높임 표현

할아버지께서 　주　무　신　다.

'자다'의 높임말은 '주무시다'예요. 웃어른께는 '주무신다'와 같이 높임말을 써요.

4주

◆ 그림과 문장을 보고, 소리 내어 읽은 후 높임말을 따라 쓰세요.

어머니께서  주 무 십 니 다 .

아버지께서  주 무 십 니 다 .

 자기 전에는 부모님께 "안녕히 주무세요."라고 인사하고
아침에 일어나서는 "안녕히 주무셨어요?"라고 인사해요.

여쭈어보다(물어보다)

모르는 게 있으면 선생님께 **여쭈어봐**라고 해야지.

 **높임말 익히기**

 잘못 쓴 표현

선생님께 물어봐.

 바른 높임 표현

선생님께 | 여 | 쭈 | 어 | 봐 |.

'물어보다'의 높임말은 '여쭈어보다'예요. 웃어른께 궁금한 것을 질문할 때는 '여쭈어보다'와 같이 높임말을 써요.

4주

◆ 그림과 문장을 보고, 소리 내어 읽은 후 높임말을 따라 쓰세요.

 궁금하면 선생님께

 여 | 쭈 | 어 | 봐 |.

 선생님,  여 | 쭈 | 어 | 볼 | 것이 있어요.

 '여쭈다'는 웃어른께 말씀을 올린다는 뜻이에요.

예 모르는 것이 있으면 선생님께 여쭈어요.

1 그림을 보고 바른 표현을 찾아 선으로 이으세요.

❶ 안녕히 ······.

· 자세요.

· 주무세요.

❷ 선생님께 ······.

· 물어봐야지.

· 여쭈어봐야지.

2 밑줄 그은 낱말을 바르게 고쳐 쓰세요.

❶ 아버지께서 **자고** 계십니다.

→

❷ 할아버지께 **물어봐야지.**

→ .

재미있게 하기

1 삼촌과 문자로 대화하고 있어요. 빈칸에 들어갈 말을 문자판에서 골라 순서대로 쓰세요.

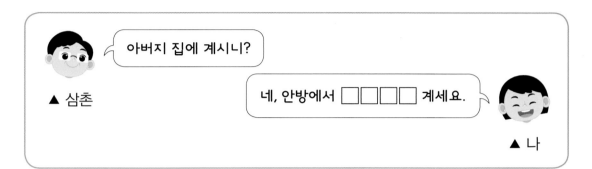

▲ 삼촌

아버지 집에 계시니?

네, 안방에서 □□□□ 계세요.

▲ 나

ㅈ → □ → □ → □ → □ → □ → □ → □

▲ 삼촌

할아버지 댁 주소 아니?

어머니께 □□□ 볼게요.

▲ 나

ㅇ → □ → □ → □ → □ → □

1 다음 중 높임말 사과를 모두 골라 ○ 하세요.

밥

연세

나이

진지

이름

성함

2 밑줄 그은 낱말을 바르게 고쳐 쓰세요.

❶ 오늘은 할머니 **생일**입니다.

→ 오늘은 할머니 [   ]입니다.

❷ 할머니 **집**에 찾아갔습니다.

→ 할머니 [   ]에 찾아갔습니다.

3 그림을 보고 알맞은 낱말을 보기 에서 찾아 쓰세요.

보기

밥　　　　　　　　진지

① 　　　친구와 〔　　〕을 먹는다.

② 　　　부모님께서 〔　　　〕를 드신다.

4 다음 문장의 빈칸에 들어갈 낱말을 구슬로 꿰어 보세요.

궁금한 것은 선생님께 〔　　　〕 봅니다.

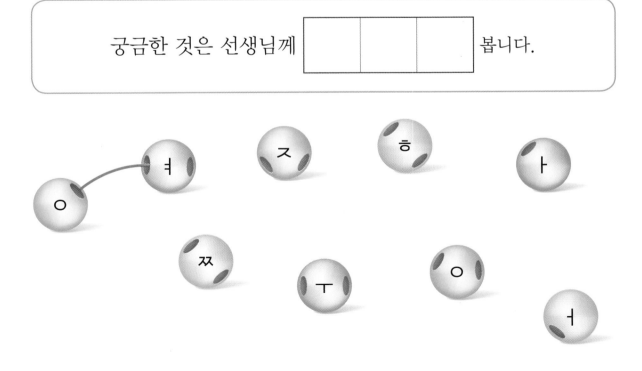

5 다음 그림을 보고 빈칸에 알맞은 낱말을 보기 에서 골라 쓰세요.

보기

잡니다   자십니다   주무십니다

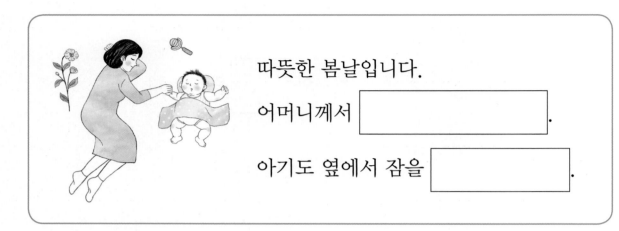

따뜻한 봄날입니다.

어머니께서 [   ].

아기도 옆에서 잠을 [   ].

6 ▢▢▢에 '이름'이나 '성함'을 쓰고, 우리 가족의 이름을 써 보세요.

우리 가족

아버지의 ▢▢▢▢ : ＿＿＿＿＿＿＿＿＿＿＿

어머니의 ▢▢▢▢ : ＿＿＿＿＿＿＿＿＿＿＿

나의 ▢▢▢ : ＿＿＿＿＿＿＿＿＿＿＿

◆ **문장을 잘 듣고 받아쓰세요.** (정답 15쪽의 문장을 불러 주시거나 QR을 찍어 들려주세요.)

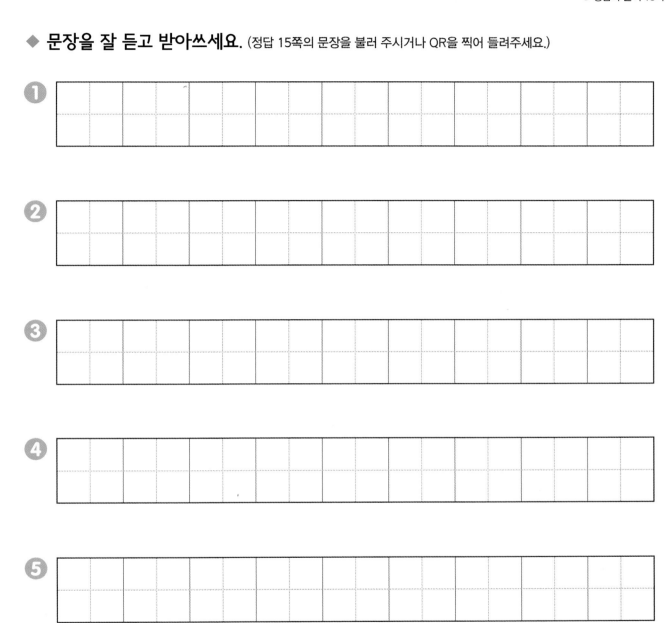

1

2

3

4

5

4
주

여기에 <u>틀린 글자</u>를 다시 써 보세요.

누구나 100점 TEST

1 웃어른께는 어떤 말을 해야 하나요?

( )

① 반말 　② 높임말 　③ 사투리

④ 줄임말 　⑤ 낮춤말

2 다음 중 높임말은 어느 것인가요?

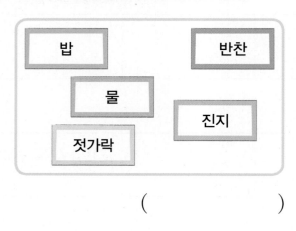

밥

반찬

물

진지

젓가락

( )

4 그림을 보고 ○○에 알맞은 낱말을 써 넣으세요.

할아버지 ◯◯ 잔치

5 다음 문장의 밑줄 그은 부분을 바르게 고쳐 쓰세요.

할아버지 나이는 일흔이십니다.

( )

3 ▢에 들어갈 알맞은 낱말을 찾아 ○ 표 하세요.

아버지, 진지 ▢▢▢▢ .

(1) 먹어 ( )

(2) 먹어요 ( )

(3) 드세요 ( )

6 '집'의 높임말은 무엇인가요? (   )

① 곳   ② 청   ③ 궁

④ 댁   ⑤ 공

7 다음 빈칸에 들어갈 높임말을 찾아 ○ 표 하세요.

> 선생님 [   ]을 잘 듣겠습니다.

| 말(   ) | 진지(   ) |
| 식사(   ) | 말씀(   ) |

8 다음 그림을 보고 빈칸에 알맞은 말을 쓰세요.

아버지께서

[   ] .

9 궁금한 것이 생겼을 때 웃어른께 바르게 말한 친구는 누구인가요?

 엄마, 물어볼게요.

▲ 소영

 엄마, 물어볼 게 있어요.

▲ 진호

 엄마, 여쭈어볼 게 있어요.

▲ 수희

(   )

10 높임말이 써 있는 꽃잎을 모두 찾아 ○ 표 하세요.

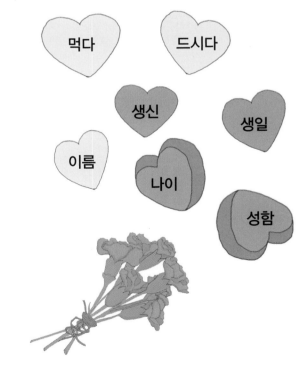

먹다   드시다   생신   생일   이름   나이   성함

📖 마술 카드의 질문에 ⚪표 하며 높임말을 알아보아요.

 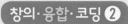
1 높임말을 모두 찾아 색칠해 보세요. 어떤 그림이 숨어 있을까요?

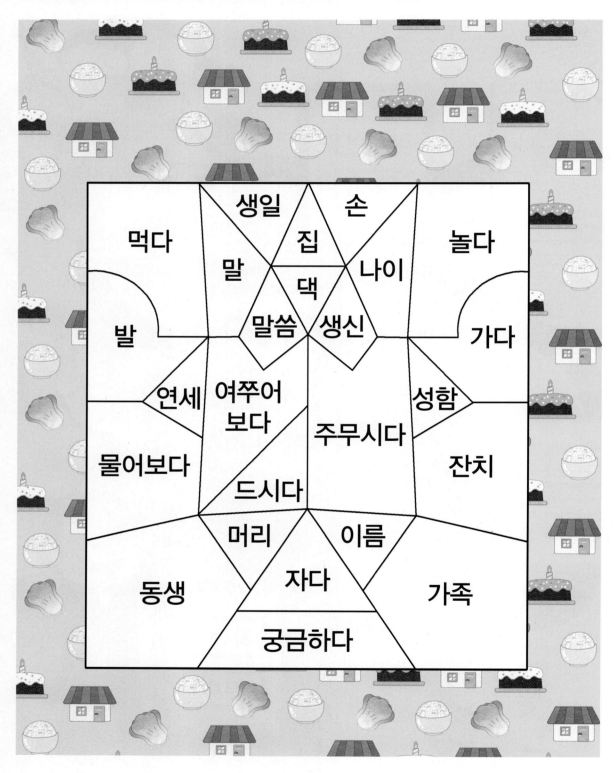

2 알맞은 답을 하며 길을 찾아 따라가 보세요.

논리 탄탄

1 화살표 방향대로 칸을 따라가면 낱말이 만들어져요. 보기 와 같이 만들어지는 낱말을 쓰세요.

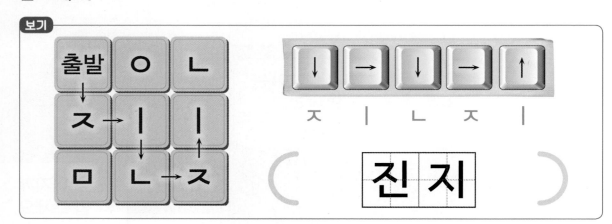

❶
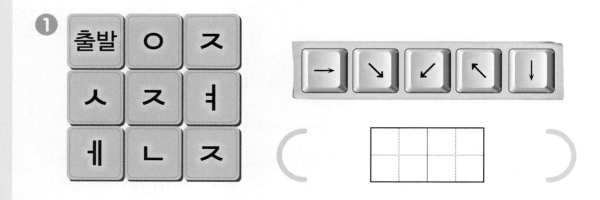

❷
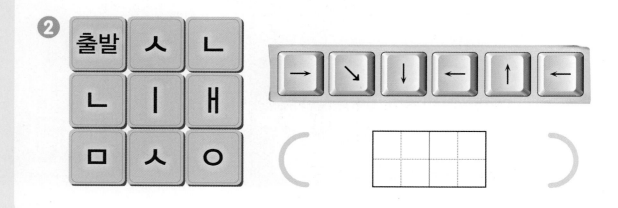

2 그림을 보고 알맞은 높임말을 써서 일기를 완성하세요.

(생일 / 생신)

오늘은 할아버지 ☐☐ 이다.

(댁 / 집)

우리 가족은 모두 할아버지 ☐ 에 모였다.

(나이 / 연세)

올해 할아버지 ☐☐ 는 예순 둘이 되신다.

(주었다 / 드렸다)

할아버지께 만들어 두었던 종이꽃을 ☐☐☐ .

할아버지께서 활짝 웃으셨다.

매일매일 쌓이는 국어 기초력

똑똑한 하루
독해&어휘&글쓰기

공부 습관 형성

10분이면 하루치 공부를 마칠 수
있어서 아이들 스스로 쉽게
학습할 수 있도록 구성

국어 기초력 향상

어휘는 물론 독해에서 글쓰기까지
초등 국어 전 영역을 책임지는
완벽한 커리큘럼으로 국어 기초력 향상

재미있는 놀이 학습

꼭 필요한 상식과 함께
창의적 사고력 확장을 돕는
게임 형식의 구성으로 즐겁게 학습

쉽다! 재미있다! 똑똑하다! 똑똑한 하루 시리즈
예비초~6학년 각 A·B (14권)

똑 똑 한
하루
어휘

맞춤법+받아쓰기

정답과 풀이

1 단계

B

1~2학년

천재교육

정답과 해설
포인트 3가지

▶ 부모님을 위한 지도·교수 방법 제시

▶ 혼자서도 이해할 수 있는 친절한 맞춤법 풀이

▶ 배운 어휘는 물론 참고 어휘, 보충 어휘까지 자세한 해설

10쪽

 가 족 ——— ㄱ

창 밖 —— ㅋ

부 엌 —— ㄲ

11쪽

 빗 빛 깃발

 젖소 빗방울

1일 바르게 쓰기 16쪽

1 ❶ 창밖 ❷ 묶고 ❸ 들녘

2 꿈속에서 낙시를 했어요. → 낚 시

이렇게 알려 주세요!

ㄲ, ㅋ과 같이 낱말의 받침이 헷갈리는 경우, 뒤에 ㅇ이 오는 말과 함께 읽어 주면 그 낱말에 쓰이는 받침을 보다 잘 알 수 있습니다. '창밖에'는 [창바께]로, '부엌에'는 [부어케]로 읽습니다. 이와 같이 낱말을 읽는 소리와 원래 글자의 모양을 여러 번 확인해 주며 읽고 쓰는 연습을 해 주세요.

재미있게 하기 17쪽

❶ 접 시 를 / 닥 고 / 닦 꼬 / 있 어 요 .

❷ 개 / 가 / 부 억 / 엌 억 / 에 / 있 어 요 .

❸ 동 녘 / 녘 녘 / 이 / 밝 아 / 요 .

2일 바르게 쓰기 22쪽

1 ❶ 빗방울, 빗 방 울

❷ 깃발, 깃 발 ❸ 햇볕, 햇 볕

2 ❶ 긋고 → 긋 고 ❷ 솓 → 솥

이렇게 알려 주세요!

'빗방울'은 [빋빵울]로 읽지만 된소리까지 함께 보여 주면 어려워할 수 있으므로 '빗' 자가 [빋]으로 소리 나는 것과 같이 해당 받침소리와 글자만 짚어 줍니다. '빗방울'은 '비'와 '방울'이 합쳐진 글자란 점도 알려 주며 어휘에 대한 관심을 키워 주세요.

재미있게 하기 23쪽

1

2

햇볕	햇볕	옷걸이	긋다	빝방울
긑다	솥	긏다	헽볕	솓
옥걸이	빗방울	나뭇가지	깃발	빝방울
깇발	옽걸이	온거리	긁다	해볕

• 나온 자음자: ㄷ

3일 **바르게 쓰기** 28쪽

1 ① 별빛
　② 낮잠

2 ① 꽂고, 꽂고
　② 짖고, 짖고
　③ 곶감, 곶감

😎 **이렇게 알려 주세요!**

받침소리 ㅅ, ㅆ, ㅈ, ㅊ, ㅌ은 모두 대표음 [ㄷ]으로 소리 납니다. '앗, 았, 앚, 앛, 앝'으로 글자를 쓰더라도 모두 같은 소리가 난다는 점을 알려 주세요.
낮에 자는 잠을 '낮잠'이라고 하고, 불에서 나는 빛을 '불빛'이라고 합니다. 이렇게 두 개의 낱말이 붙어서 만들어진 어휘도 짚어 주세요.

재미있게 하기 29쪽

1

2
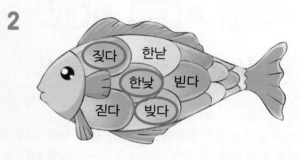

4일 **바르게 쓰기** 34쪽

1 ① 앞, 앞치마
　② 엎, 엎지르고
　③ 릎, 무릎

2 따뜻하게 **덮개**로 **덮어** 주세요.
　덮개 ← → 덮어

 이렇게 알려 주세요!

'입'과 '잎'은 모두 [입]으로 소리 납니다. 하지만 '입이'는 [이비]로 읽고 '잎이'는 [이피]로 읽습니다. 이처럼 원래의 글자에 따라 소리가 달라지므로 낱말의 원형을 익히는 것이 중요합니다. '덮개'는 '덮다'에서 온 말이므로 '덥개'가 아닌 '덮개'가 바르다는 점도 알려 주세요.

재미있게 하기 35쪽

5일 받아쓰기　36~38쪽

1 ❶ (묶다)　❷ (부억)

2 ❶ – 닦다　❷ – 옷걸이　❸ – 밥솥

3
 햇볕
 은행잎

4 ❶ (빗방울)　❷ 꽂고　❸ 짖고

5 ❶ (빗고), 빗고　❷ 무릎, 무릎

6 낚시 → 벗다 → 엎지르다

7 나비 무늬가 있는 압치마를 입었어요.
→ 앞치마

QR 받아쓰기　39쪽

❶ 창밖을 ∨ 보아요.
❷ 끈을 ∨ 묶어요.
❸ 부엌에 ∨ 가요.
❹ 낚시를 ∨ 해요.
❺ 창을 ∨ 닦아요.

이렇게 알려 주세요!

'창밖을'은 [창바끌]로 읽어 줍니다. '묶어요'도 [무꺼요]로 읽어 줍니다. [부어케], [다까요]와 같이 받침 뒤에 모음자가 오는 경우는 받침을 모음자 자리에 옮겨서 바르게 발음해 줍니다. 그래서 소리와 표기가 다른 받아쓰기 규칙을 아이가 이해할 수 있도록 합니다.

1주 누구나 100점 TEST　40~41쪽

1 ④　**2** ③　**3** ㉢　**4** 솥　**5** 깃발

6 ②　**7** ㅈ　**8** ②　**9** 빗

10 곶감, 무릎, 비옷

풀이

2 '수박, 박수, 악기, 국어'에는 받침 'ㄱ'이 쓰입니다. '창밖'에만 받침 'ㄲ'이 쓰입니다.

6 '강아지가 짖다'와 같이 '짖다'에는 받침 'ㅈ'이 쓰입니다.

7 사진 속 꽃의 이름은 '벚꽃'입니다. 받침 'ㅈ'과 'ㅊ'이 쓰이는 낱말입니다.

9 '빗'을 넣으면 '빗방울'과 '빗자루'가 됩니다.

1주 특강 보드 게임 퀴즈　42~43쪽

닦다 → 창밖 → 깃발 → 낮잠
→ 무릎 → 부엌 → 곶감

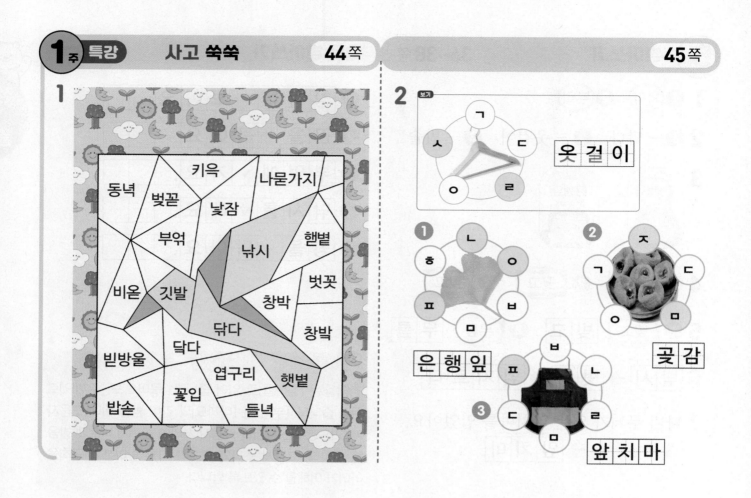

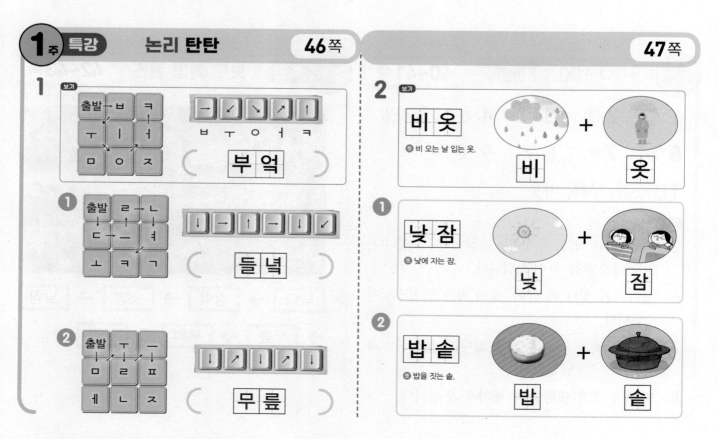

정답과 풀이

50쪽

숟□락 → 숟까락 (숟가락)

접□ → 접씨 (접시)

꽃□ → (꽃게) 꽃께

51쪽

국□ → 소 (수) / 쑤 숙

악□ → 고 (기) / 끼 가

주먹□ → (밥) 방 / 빱 발

1일 바르게 쓰기 56쪽

1 ❶ (학교), 학교
  ❷ (국수), 국수
  ❸ (숙제), 숙제

2 ❶ 국자 ❷ 악기

👨 **이렇게 알려 주세요!**

앞말의 받침이 'ㄱ'일 때 뒤에 오는 말의 첫소리 'ㄱ'은 [ㄲ], 'ㄷ'은 [ㄸ], 'ㅂ'은 [ㅃ], 'ㅅ'은 [ㅆ], 'ㅈ'은 [ㅉ]으로 소리 납니다. 'ㄲ, ㄸ, ㅃ, ㅆ, ㅉ' 소리를 된소리라고 한다는 것도 함께 알려 주세요.

재미있게 하기 57쪽

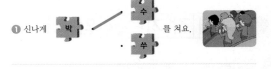
❶ 신나게 박 — 수 / 쑤 를 쳐요.

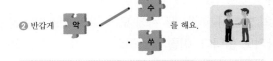
❷ 반갑게 악 — 수 / 쑤 를 해요.

❸ 집에 택 — 빼 / 배 가 왔어요.

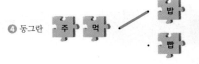
❹ 동그란 주 먹 — 밥 / 빱

2일 바르게 쓰기 62쪽

1 ❶ (받고), 받고
  ❷ (돋보기), 돋보기
  ❸ (뜯다), 뜯다

2 ❶ 숟가락 ❷ 닫고

👩 **이렇게 알려 주세요!**

앞말의 받침이 'ㄷ'일 때 뒤에 오는 말의 첫소리는 된소리로 나기도 합니다. 낱말을 읽는 소리와 원래 글자의 모양을 여러 번 확인하며 읽고 쓰는 연습을 해 주세요.

재미있게 하기 63쪽

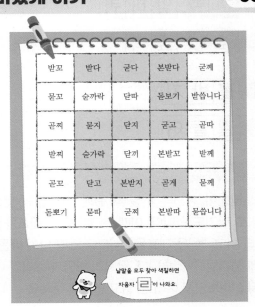

받꼬	받다	굳다	본받다	굳께
묻꼬	숟까락	닫따	돋보기	받씁니다
곧찌	묻지	닫지	굳고	곧따
받찌	숟가락	닫끼	본받꼬	받께
곧꼬	닫고	본받지	곧게	묻께
돋뽀기	묻따	굳찌	본받따	묻씁니다

낱말을 모두 찾아 색칠하면 자음자 ㄹ 이 나와요.

3일 바르게 쓰기 68쪽

1
❶ 입까 / 입가 에 밥풀이 묻었어요.

❷ 날씨가 춥고 / 춥꼬 눈이 와요.

❸ 우리 가족은 곱슬머리 / 곱쓸머리 예요.

2 ❶ 술래잡기 ❷ 입고

이렇게 알려 주세요!

앞말의 받침이 'ㅂ'일 때 뒤에 오는 말의 첫소리는 된소리로 나기도 합니다. 이렇게 소리와 글자가 다른 낱말은 소리 내어 읽어 보고 글자의 모양과 어떻게 다른지를 비교하며 여러 번 연습해 주세요.

재미있게 하기 69쪽

1

지	❶접	사	귀	❸술
사	시	밥	고	래
개	복	구	입	잡
❷밥	그	릇	장	기

2

4일 바르게 쓰기 74쪽

1 ❶ 꽃밭, 꽃밭
❷ 앞바퀴, 앞바퀴
❸ 숲속, 숲속

2 ❶ 꽃반지
❷ 곁들여

이렇게 알려 주세요!

앞말의 받침이 'ㅊ, ㅌ, ㅍ'일 때 뒤에 오는 말의 첫소리는 된소리로 나기도 합니다. 이때 'ㅊ'과 'ㅌ'은 대표음 [ㄷ]으로 소리 나고, 'ㅍ'은 대표음 [ㅂ]으로 소리 나기 때문에 더 어렵게 생각될 수 있습니다. 글자의 모양과 소리가 어떻게 다른지 살펴보면서 여러 번 읽고 연습해 주세요.

재미있게 하기 75쪽

1

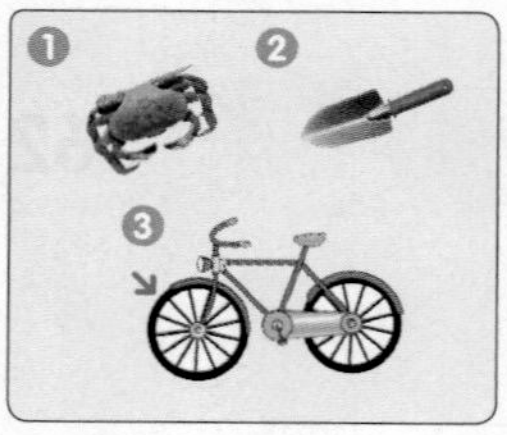

개	❶꽃	같	❸앞
비	게	분	바
밭	속	덮	퀴
수	❷꽃	삽	자

2

5일 받아쓰기 76~78쪽

1 ❶ 숟가락 ❷ 숙제 2 곧다.

3

춥따 / 갇다 / 돋뿌기 / 악수 / 학꾜 / 밥그릇

4 ❶ 묻다 ❷ 술래잡기 ❸ 악기

5 ❶ 주먹밥 ❷ 접시

6 ❶ 입가 , 입가 ❷ 택배 , 택배

7 ❶ 뜯지 ❷ 본받고

QR 받아쓰기 79쪽

❶ 국수가 ∨ 맛있어요.
❷ 택배가 ∨ 왔어요.
❸ 길을 ∨ 묻고 ∨ 있어.
❹ 밥그릇이 ∨ 커요.
❺ 꽃게가 ∨ 기어가요.

이렇게 알려 주세요!

'국수'나 '택배'와 같이 앞말의 받침이 'ㄱ'인 경우, '밥그릇' 처럼 앞말의 받침이 'ㅂ'인 경우에는 뒷말의 첫소리가 된소리로 나기 때문에 '국쑤'나 '택빼', '밥끄릇'으로 잘못 쓰기 쉽습니다. 또한 '묻다'처럼 앞말의 받침이 'ㄷ'이거나 '꽃게' 처럼 앞말의 받침이 [ㄷ]으로 소리 날 때에도 뒷말의 첫소리가 된소리로 납니다. 하지만 쓸 때에는 원래 글자를 그대로 살려 써야 해요.

2주 누구나 100점 TEST 80~81쪽

1 학교 2 ② 3 ③ 4 ㉡
5 곧게 6 닫고 7 ②
8 겁쟁이 9 꽃게 10 국수자

풀이

1 그림의 이름을 소리 나는 대로 읽으면 [학꾜]로 소리 나지만, 쓸 때에는 '학교'라고 써야 해요.

4 앞말의 받침 'ㅊ' 뒤에 오는 글자는 된소리가 나더라도 된소리로 쓰면 안 돼요. 따라서 '꽃쌉'이 아니라 '꽃삽'이 맞는 말이에요.

8 앞말의 받침 'ㅂ' 뒤에는 된소리를 쓰지 않으므로 '겁쨍이'가 아니라 '겁쟁이'라고 써야 해요.

10 '국자'와 '국수' 그림이 있으므로 표의 세로에는 '국자'를, 가로에는 '국수'를 써야 해요.

2주 특강 보드 게임 퀴즈 82~83쪽

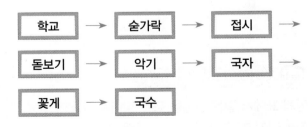
학교 → 숟가락 → 접시 →
돋보기 → 악기 → 국자 →
꽃게 → 국수

2주 특강 사고 쑥쑥 84쪽

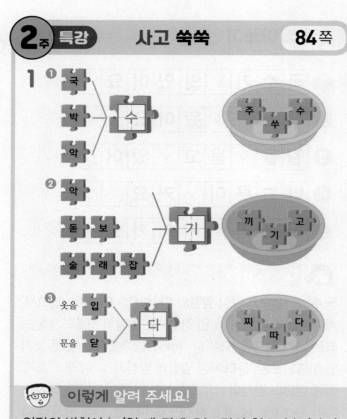

1

① 국 / 박 / 악 → 수 [주 수 쑤]

② 악 / 돌 보 / 술 래 잡 → 기 [끼 고 기]

③ 옷을 입 / 문을 닫 → 다 [찌 따 다]

이렇게 알려 주세요!

앞말의 받침이 'ㄱ'일 때 뒤에 오는 말의 첫소리 'ㄱ', 'ㄷ', 'ㅂ'은 각각 [ㄲ], [ㄸ], [ㅃ]으로 소리 납니다. 하지만 쓸 때에는 원래 글자를 그대로 살려 써야 한다는 점을 생각하며 여러 낱말에 공통으로 쓰이는 글자를 찾아 써 보세요.

85쪽

2

① 자는 자인데 잴 수는 없어. / 부엌에 있는 자야. / 국물을 뜰 때 사용하지.

국 접 / 짜 주 자 / 시 → 국 자

② 두 손바닥을 맞부딪치는 거야. / '수박'을 거꾸로 하는 것과 같아. / 짝짝짝 소리가 나.

악 박 / 가 호 쑤 / 수 → 박 수

2주 특강 논리 탄탄 86쪽

1

①
제	리	게
곱	♥	숙
꽃	슬	머

☀ → 곱 슬 머 리
☁ → 숙 제
☂ → 꽃 게

②
그	가	시
숟	♥	롯
밥	락	접

☀ → 밥 그 룻
☁ → 숟 가 락
☂ → 접 시

이렇게 알려 주세요!

먼저 표에서 같은 그림을 모두 찾아서 표시한 다음 그 글자를 가지고 낱말을 만들어 빈칸에 써 보세요.

87쪽

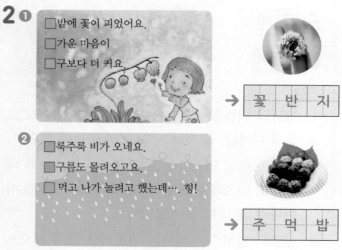

2

①
- ☐밭에 꽃이 피었어요.
- ☐가운 마음이
- ☐구보다 더 커요.

→ 꽃 반 지

②
- ☐룩주룩 비가 오네요.
- ☐구름도 몰려오고요.
- ☐먹고 나가 놀려고 했는데…. 힝!

→ 주 먹 밥

이렇게 알려 주세요!

빈칸에 들어갈 글자를 세로로 모으면 그림에 알맞은 낱말이 되지요.

90쪽

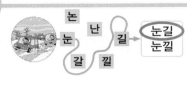

논
눈 난 길 → (눈길)
         끼 (눈낄)
   갈 낄

논 싸
눈 사 람 눈싸람
         람 (눈사람)
   남

91쪽

김□ · 김 밥
      · 김 빱

물□기 · 물 꼬 기
       · 물 고 기

상□ · 상 짱
     · 상 장

1일 **바르게 쓰기** **96**쪽

1 ❶ 산 새 가 즐겁게 노래해요.

❷ 눈 길 에서 조심조심 운전해요.

❸ 축구화를 신 고 축구를 해요.

2 ❶ 눈 동 자 ❷ 손 동 작

👧 **이렇게 알려 주세요!**

앞말의 받침이 'ㄴ'일 때 뒤에 오는 말의 첫소리 'ㄱ'은 [ㄲ], 'ㄷ'은 [ㄸ], 'ㅂ'은 [ㅃ], 'ㅅ'은 [ㅆ], 'ㅈ'은 [ㅉ]으로 소리 나요. 하지만 쓸 때에는 원래 글자를 그대로 살려서 써야 해요.

재미있게 하기 **97**쪽

1

2

2일 **바르게 쓰기** **102**쪽

1 ❶ (길가) , 길 가

❷ (발자국) , 발 자 국

❸ (철길) , 철 길

2 ❶ 글 자 ❷ 발 바 닥

👨 **이렇게 알려 주세요!**

앞말의 받침이 'ㄹ'일 때 뒤에 오는 말의 첫소리는 된소리로 나기도 합니다. '발자국', '발바닥' 등은 두 낱말을 합해 만들었다는 점도 알려 주며 어휘에 관한 관심을 키워 주세요.

재미있게 하기 **103**쪽

1

2

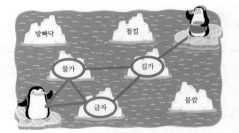

※ 길을 여러 가지로 그릴 수 있습니다.

3일 바르게 쓰기 108쪽

1 ① 동생은 잠버릇 이 심해요.

② 맛있는 김밥 을 만들어요.

③ 삼촌은 몸집 이 아주 커요.

2 ① 몸동작

② 침방울

 이렇게 알려 주세요!

앞말의 받침이 'ㅁ'일 때 뒤에 오는 말의 첫소리는 된소리로 나기도 합니다. '잠버릇', '김밥', '침방울' 등 두 낱말이 합쳐진 낱말을 나누고 다시 합해 보면서 낱말을 재미있게 공부해 보세요.

재미있게 하기 109쪽

1

2

4일 바르게 쓰기 114쪽

1 ① 종소리 가 들려와요.

② 버스가 종점 에 도착했어요.

③ 아버지께서 상장 을 받으셨어요.

2 창가, 장독대

 이렇게 알려 주세요!

앞말의 받침이 'ㅇ'일 때 뒤에 오는 말의 첫소리는 된소리로 나기도 하지만 글자를 쓸 때에는 된소리 글자로 쓰면 안 돼요. 이처럼 소리와 글자가 다른 글자가 있다는 것을 생각하고, 소리와 글자를 비교하며 낱말을 바르게 익힐 수 있도록 많이 연습해 보세요.

재미있게 하기 115쪽

1

2

5일 받아쓰기 116~118쪽

1 ❶ 눈동자 ❷ 손거울

2 ❶ 눈사람 ❷ 발바닥 ❸ 침방울

3 눈낄(✗), 발자국(○)

4 ❶ 봄바람 ❷ 숨소리 ❸ 물감

5 ❶ 기다란 철 길 ❷ 어두운 밤 길

6 가

7 ❶ 김 밥 ❷ 콩 가 루

QR 받아쓰기 119쪽

① 아 름 다 운 ∨ 눈 동 자 .

② 눈 사 람 을 ∨ 만 들 자 .

③ 부 드 러 운 ∨ 발 바 닥 .

④ 김 밥 을 ∨ 먹 어 요 .

⑤ 종 소 리 를 ∨ 들 어 요 .

이렇게 알려 주세요!

'눈동자', '눈사람', '발바닥', '김밥', '종소리'와 같은 낱말은 앞말의 받침이 'ㄴ, ㄹ, ㅁ, ㅇ'인 낱말들입니다. 이런 경우 뒷말의 첫소리가 된소리로 나더라도 쓸 때에는 원래 글자를 그대로 살려 써야 해요.

3주 누구나 100점 TEST 120~121쪽

1 ㉡   2 ⑤   3 김밥   4 ②

5 신고   6 물개   7 물 고 기

8 방 바 닥   9 ②   10 눈 동 자
　　　　　　　　　　　　　사
　　　　　　　　　　　　　람

풀이

1 그림은 아기가 잘 때 쌔근쌔근 하고 나는 숨소리를 나타낸 것이에요. [숨쏘리]라고 소리 나지만 쓸 때에는 '숨소리'로 써야 해요.

2 '글자'와 '발자국'에 모두 들어가는 글자는 '자'예요.

4 '눈낄'은 '눈길'로, '몸똥작'은 '몸동작'으로, '눈싸람'은 '눈사람'으로, '콩까루'는 '콩가루'로 써야 해요.

6 앞말의 받침 'ㄹ' 뒤에는 된소리를 쓰지 않으므로 '물깨'가 아니라 '물개'가 바른 말이에요

10 '눈사람'과 '눈동자' 그림이 있으므로 표의 세로에는 '눈사람'을, 가로에는 '눈동자'를 써야 해요.

3주 특강 보드 게임 퀴즈 122~123쪽

눈사람	→	손거울	→	눈길	→
김밥	→	철길	→	발바닥	→
물개					

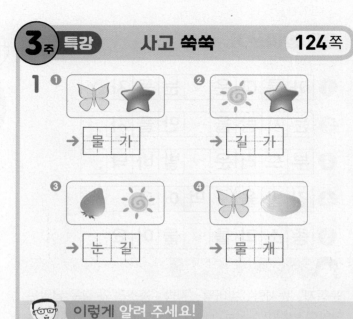

3주 특강 — 사고 쑥쑥 — 124쪽

1
① 나비 ★ → 물 가
② ☀ ★ → 길 가
③ → 눈 길
④ → 물 개

이렇게 알려 주세요!
먼저 각 그림 위에 써 있는 글자가 무엇인지 살펴보고, 그림에 대입되는 글자를 찾아 빈칸에 써 보세요. ❶번의 경우, 나비 그림 위에 있는 글자는 '물'이고, 별 그림 위에 있는 글자는 '가'이므로, 나비와 별 그림이 나란히 있으면 '물가'라는 낱말이 되지요.

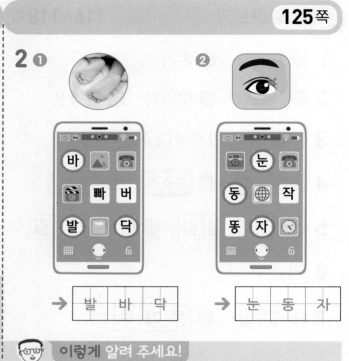

125쪽

2
① → 발 바 닥
② → 눈 동 자

이렇게 알려 주세요!
각 그림에 해당하는 이름을 말해 보고, 글자를 찾아 O표를 한 다음, 그 글자들을 모아서 빈칸에 낱말을 써 보세요.

3주 특강 — 논리 탄탄 — 126쪽

1
①
군	논	눈
사	소	암
서	람	돈
→ 눈 사 람

②
종	창	조
라	소	정
리	중	수
→ 종 소 리

이렇게 알려 주세요!
먼저 왼쪽의 표에서 색칠한 칸의 위치에 맞게 글자가 써 있는 칸을 그대로 찾아 표시해 보세요. 그런 다음 표시된 칸에 있는 글자들을 모아서 낱말을 만들어 빈칸에 써 보세요.

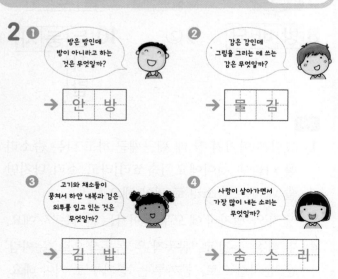

127쪽

2
① 방은 방인데 방이 아니라고 하는 것은 무엇일까? → 안 방
② 감은 감인데 그림을 그리는 데 쓰는 감은 무엇일까? → 물 감
③ 고기와 채소들이 뭉쳐서 하얀 내복과 검은 외투를 입고 있는 것은 무엇일까? → 김 밥
④ 사람이 살아가면서 가장 많이 내는 소리는 무엇일까? → 숨 소 리

이렇게 알려 주세요!
수수께끼 문제를 살펴보고 아래의 그림을 참고하여 낱말을 떠올려 보세요. 그리고 〈보기〉에서 글자를 찾아 낱말을 만들어 빈칸에 써 보세요.

130쪽

131쪽

1일 바르게 쓰기 136쪽

1 ❶ 연세

❷ 진지

❸ 드세요

2 ❶ 우리 아버지 나이는 마흔입니다.
→ 연 세

❷ 아버지, 밥 드세요.
→ 진 지

재미있게 하기 137쪽

1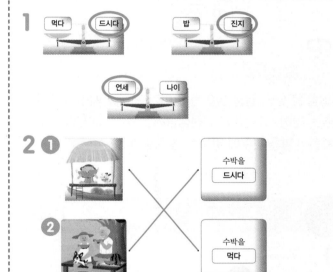

2 ❶❷

2일 바르게 쓰기 142쪽

1 ❶ 집 (○)

❷ 댁 (○)

❸ 댁 (○)

2 ❶ 내 짝꿍 성함은 김하율입니다.
→ 이 름

❷ 아버지 이름을 바르게 씁니다.
→ 성 함

재미있게 하기 143쪽

1
할머니 댁   영수네 집

강아지 집   삼촌 댁

2
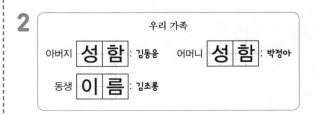
우리 가족
아버지 성 함 : 김동윤   어머니 성 함 : 박정아
동생 이 름 : 김초롱

3일 바르게 쓰기 148쪽

1 ① 말씀, 말씀
  ② 생신, 생신
  ③ 생신, 생신

2 ① 어머니 생일은 내일입니다.
  → 생신
  ② 부모님 말을 잘 듣겠습니다.
  → 말씀

이렇게 알려 주세요!

'말씀'은 남의 말을 높이는 말이기도 하고 자신의 말을 낮추는 말이기도 합니다. '선생님께 말씀 드리다.'의 '말씀'은 자신의 말을 낮추어 말하는 경우입니다.

재미있게 하기 149쪽

1
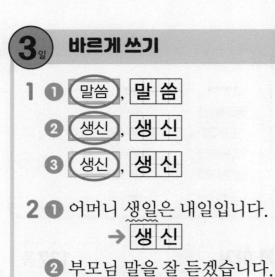

아버지 생신

짝꿍 영수의 생일

할머니 생신

내 생일

2
엄마, (생일 / **생신**)을 축하드려요.
엄마 (말 / **말씀**) 잘 듣는 착한 아이가 될게요.

4일 바르게 쓰기 154쪽

1
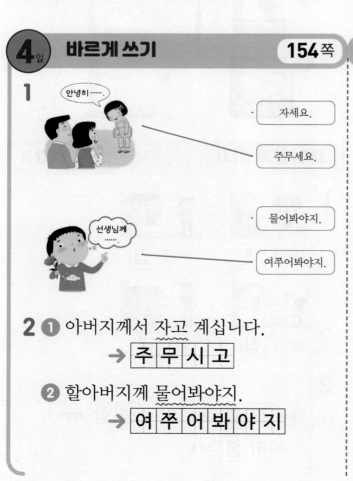

안녕히 ……
· 자세요.
· 주무세요.

선생님께 ……
· 물어봐야지.
· 여쭈어봐야지.

2 ① 아버지께서 자고 계십니다.
  → 주무시고
  ② 할아버지께 물어봐야지.
  → 여쭈어봐야지

재미있게 하기 155쪽

1

아버지 집에 계시니?
▲ 삼촌
네, 안방에서 □□□□ 계세요.
▲ 나

ㄱ ㄴ ㄷ ㄹ ㅁ ㅂ ㅅ ㅇ ㅈ ㅊ
ㅏ ㅑ ㅓ ㅕ ㅗ ㅛ ㅜ ㅠ ㅡ ㅣ

ㅈ→ㅜ→ㅁ→ㅜ→ㅅ→ㅣ→ㄱ→ㄴ

할아버지 댁 주소 아니?
▲ 삼촌
어머니께 □□□ 볼게요.
▲ 나

ㄱ ㄲ ㄷ ㄸ ㅁ ㅂ ㅅ ㅈ ㅉ ㅇ
ㅏ ㅑ ㅓ ㅕ ㅗ ㅛ ㅜ ㅡ ㅣ

ㅇ→ㅕ→ㅉ→ㅜ→ㅇ→ㅓ

5일 받아쓰기　　156~158쪽

1 연세, 진지, 성함

2 ① 생일 → 생신　② 집 → 댁

3 ① 밥　② 진지

4
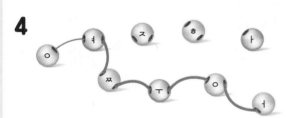

5 어머니께서 주무십니다 .

　아기도 옆에서 잠을 잡니다 .

6 아버지의 성함 , 어머니의 성함

　나의 이름

QR 받아쓰기　　159쪽

① 진지를 ∨ 드십니다.

② 연세가 ∨ 궁금해요.

③ 할머니 ∨ 댁에 ∨ 가요.

④ 선생님께 ∨ 여쭈어봐.

⑤ 생신 ∨ 축하드려요.

이렇게 알려 주세요!

'진지, 연세, 댁, 여쭈어보다, 생신'과 같은 높임말은 낱말 자체의 표기도 정확하게 익혀야 하지만, 대화나 문장에서 적절하게 사용하는 것이 보다 중요합니다. 말을 듣는 사람이나 가리키는 사람이 웃어른일 경우, 위와 같은 높임말이 자연스럽게 나올 수 있도록 문장 전체를 반복해서 익혀 두는 것이 좋습니다.

4주 누구나 100점 TEST　　160~161쪽

1 ②　　**2** 진지　**3** (3) 드세요 (○)

4 생신　**5** 연세　**6** ④　　**7** 말씀 (○)

8 주무십니다(주무신다) **9** 수희

10 드시다, 생신, 성함

풀이

1 웃어른께는 높임말을 써야 합니다. 반말은 높이지도 낮추지도 않는 말을 뜻합니다.

4 웃어른의 생일은 높임말로 '생신'이라고 합니다.

7 웃어른의 말은 '말씀'으로 높여서 말합니다.

9 궁금한 것이 생겼을 때에는 웃어른께 '여쭈어볼 것이 있어요'와 같이 말합니다.

4주 특강 보드 게임 퀴즈　　162~163쪽

생신 → 성함 → 댁 → 진지

→ 말씀 → 드시다 → 주무시다

1

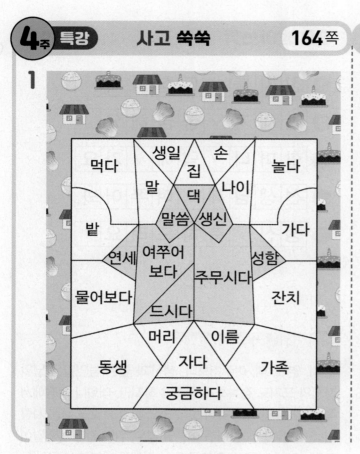

165쪽

2

1

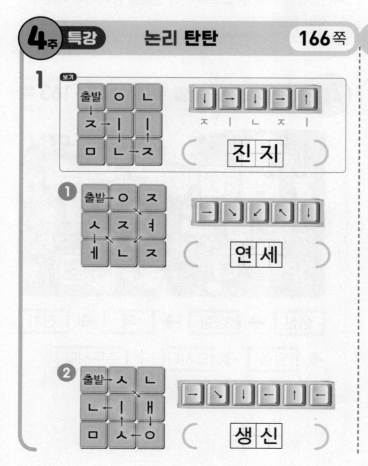

167쪽

2

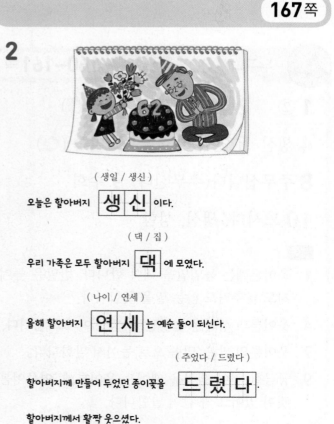

(생일 / 생신)

오늘은 할아버지 생신 이다.

(댁 / 집)

우리 가족은 모두 할아버지 댁 에 모였다.

(나이 / 연세)

올해 할아버지 연세 는 예순 둘이 되신다.

(주었다 / 드렸다)

할아버지께 만들어 두었던 종이꽃을 드렸다 .

할아버지께서 활짝 웃으셨다.

정답은
이안에
있어!

똑똑한
하루
어휘
맞춤법+받아쓰기

배움으로 행복한 내일을 꿈꾸는
천재교육 커뮤니티 안내 . . .

 교재 안내부터 구매까지 한 번에!
천재교육 홈페이지

천재교육 홈페이지에서는 자사가 발행하는 참고서,
교과서에 대한 소개는 물론 도서 구매도 할 수 있습니다.
회원에게 지급되는 별을 모아 다양한 상품 응모에도
도전해 보세요.

 구독, 좋아요는 필수! 핵유용 정보 가득한
천재교육 유튜브 <천재TV>

신간에 대한 자세한 정보가 궁금하세요?
참고서를 어떻게 활용해야 할지 고민인가요?
공부 외 다양한 고민을 해결해 줄 채널이 필요한가요?
학생들에게 꼭 필요한 콘텐츠로 가득한 천재TV로 놀러 오세요!

 다양한 교육 꿀팁에 깜짝 이벤트는 덤!
천재교육 인스타그램

천재교육의 새롭고 중요한 소식을 가장 먼저 접하고 싶다면?
천재교육 인스타그램 팔로우가 필수!
누구보다 빠르고 재미있게 천재교육의 소식을 전달합니다.
깜짝 이벤트도 수시로 진행되니 놓치지 마세요!